Tous Continents

Collection dirigée par
Anne-Marie Villeneuve

D1430258

De la même auteure chez Québec Amérique

Adulte

Au bonheur de lire, Comment donner le goût de lire à son enfant de 0 à 8 ans,
coll. Dossiers et Documents, 2009.

Pour rallumer les étoiles, coll. Tous Continents, 2006.

Le Pari, coll. Tous Continents, 1999.

Marie-Tempête, coll. Tous Continents, 1997.

Maïna, coll. Tous Continents, 1997.

La Bibliothèque des enfants, Des trésors pour les 0 à 9 ans, coll. Explorations, 1995.

Du Petit Poucet au Dernier des raisins, coll. Explorations, 1994.

Jeunesse

SÉRIE JACOB JOBIN

La Grande Quête de Jacob Jobin, Tome 3 – La Pierre bleue, coll. Tous Continents, 2010.

La Grande Quête de Jacob Jobin, Tome 2 – Les Trois Vœux, coll. Tous Continents, 2009.

La Grande Quête de Jacob Jobin, Tome 1 – L'Élu, coll. Tous Continents, 2008.

SÉRIE CHARLOTTE

Une gouvernante épatante, coll. Bilbo, 2010.

La Fabuleuse Entraîneuse, coll. Bilbo, 2007.

L'Étonnante Concierge, coll. Bilbo, 2005.

Une drôle de ministre, coll. Bilbo, 2001.

Une bien curieuse factrice, coll. Bilbo, 1999.

La Mystérieuse Bibliothécaire, coll. Bilbo, 1997.

La Nouvelle Maîtresse, coll. Bilbo, 1994.

La Nouvelle Maîtresse, livre-disque, 2007.

SÉRIE ALEXIS

Macaroni en folie, coll. Bilbo, 2009.

Alexa Gougougaga, coll. Bilbo, 2005.

Léon Maigrichon, coll. Bilbo, 2000.

Roméo Lebeau, coll. Bilbo, 1999.

Toto la brute, coll. Bilbo, 1998.

Valentine Picotée, coll. Bilbo, 1998.

Marie la chipie, coll. Bilbo, 1997.

SÉRIE MARIE-LUNE

Pour rallumer les étoiles – Partie 2, coll. Titan+, 2009.

Pour rallumer les étoiles – Partie 1, coll. Titan+, 2009.

Un hiver de tourmente, coll. Titan, 1998.

Ils dansent dans la tempête, coll. Titan, 1994.

Les grands sapins ne meurent pas, coll. Titan, 1993.

SÉRIE MAÏNA

Maïna, Tome II – Au pays de Natak, coll. Titan+, 1997.

Maïna, Tome I – L'Appel des loups, coll. Titan+, 1997.

Ta voix dans la nuit, coll. Titan, 2001.

LÀ OÙ LA MER COMMENCE

roman

Catalogage avant publication de Bibliothèque et Archives nationales
du Québec et Bibliothèque et Archives Canada

Demers, Dominique
Là où la mer commence
(Tous continents)
Éd. originale: Paris : R. Laffont, 2001.
ISBN 978-2-7644-1272-5
I. Titre. II. Collection: Tous continents.

PS8557.E468L3 2011   C843'.54   C2011-940623-3
PS9557.E468L3 2011

Conseil des Arts   Canada Council
du Canada   for the Arts

SODEC
Québec

Nous reconnaissons l'aide financière du gouvernement du Canada par
l'entremise du Fonds du livre du Canada pour nos activités d'édition.

Gouvernement du Québec – Programme de crédit d'impôt pour l'édition
de livres – Gestion SODEC.

Les Éditions Québec Amérique bénéficient du programme de subvention
globale du Conseil des Arts du Canada. Elles tiennent également à
remercier la SODEC pour son appui financier.

Québec Amérique
329, rue de la Commune Ouest, 3ᵉ étage
Montréal (Québec) Canada H2Y 2E1
Téléphone : 514 499-3000, télécopieur : 514 499-3010

Dépôt légal : 3ᵉ trimestre 2011
Bibliothèque nationale du Québec
Bibliothèque nationale du Canada

Projet dirigé par Geneviève Brière
En collaboration avec Anne-Marie Villeneuve
Roman paru pour la première fois en France en 2001
et revisité par l'auteure en 2011
Mise en pages : André Vallée – Atelier typo Jane
Révision linguistique : Diane-Monique Daviau et Annie Pronovost
Conception graphique : Célia Provencher-Galarneau
Photo en couverture : Photomontage réalisé à partir d'une photographie
   tirée de Getty Images

Imprimé au Canada

Dominique Demers

LÀ OÙ LA MER COMMENCE

roman

Québec Amérique

À la Bête, parce que je ne cesserai jamais d'y croire.

« *La Belle ne put s'empêcher de frémir
en voyant cette horrible figure.* »

Mme LEPRINCE DE BEAUMONT,
La Belle et la Bête, 1757

Note : Ce lieu enchanteur existe vraiment, blotti dans l'estuaire du Saint-Laurent. La toponymie a été respectée dans la plupart des cas, l'auteure s'étant toutefois permis de transformer quelques noms de lieux pour les besoins du roman.

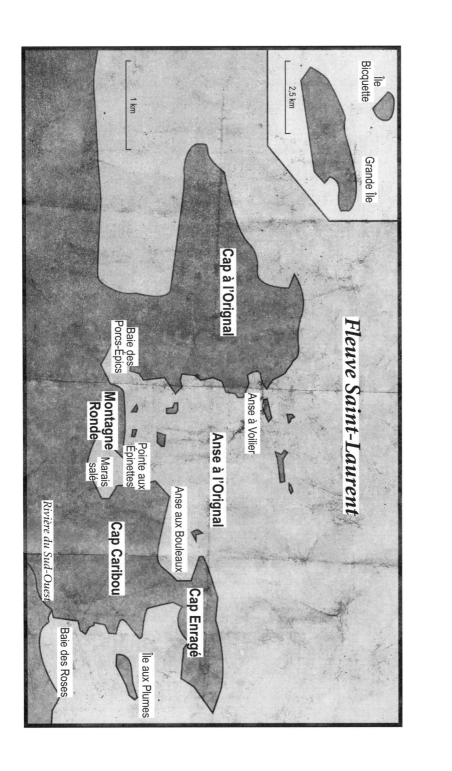

J'avais seize ans, j'étais amoureuse et je voulais mourir.
Ma grand-mère Florence avait recueilli mes confidences et essuyé mes larmes, sans se moquer, sans juger, en hochant simplement la tête, son regard gris-bleu planté dans le mien comme une ancre m'empêchant de dériver. Les semaines avaient passé, mais pas le chagrin d'amour. Un matin, plus exactement le 12 mai 1901, mamie Florence me tendit un billet de train.

— Tiens, Marie. C'est un cadeau de Maybel, ta marraine. Elle voudrait te connaître.

Je n'avais jamais rencontré ma marraine. Elle habitait quelque part au Québec, bien loin de nos prairies manitobaines. Un certain mystère l'entourait. Maman m'avait plus d'une fois raconté qu'à ma naissance, mamie Florence avait poussé des cris de ravissement parce que j'avais, selon elle, les mêmes yeux que sa vieille amie.

— C'est insensé, avait protesté maman. Comment peux-tu affirmer qu'un nouveau-né a les mêmes yeux que cette Maybel que tu as connue si peu longtemps, il y a tant d'années? Et puis, les yeux d'un bébé, ça change…

Les miens, pourtant, étaient restés pareils et mamie Florence avait continué de me comparer à Maybel. Elle lui écrivait chaque semaine depuis un demi-siècle, en fait depuis qu'elle avait quitté Sainte-Cécile, dans les replis du Saint-Laurent, pour s'installer avec son jeune époux à Saint-Vital, au Manitoba.

— La petite a son énergie, sa pétillance, répétait Florence. Et ses yeux sont restés mauves ! Je l'avais prédit.

Pour faire plaisir à sa mère, maman avait finalement suggéré que cette lointaine Maybel devienne ma marraine. C'était une bien mince concession si l'on songe à tout ce que ma grand-mère avait enduré pour que sa petite famille grandisse heureuse sous le ciel immense des Prairies alors même qu'elle affectionnait tant les paysages et les saisons de l'estuaire.

Maybel apprit par courrier qu'elle héritait d'une filleule. Elle en fut, paraît-il, très émue. Le train m'apporta souvent de petits présents, acheminant en retour quelques dessins, puis des mots gentils. Mais les enfants se lassent vite des relations à distance. Ma marraine finit donc par occuper bien peu de place dans ma vie. Elle, par contre, savait tout de moi, grâce aux lettres de Florence.

C'est ainsi qu'un jour, à seize ans, je suis partie à sa rencontre. Ma déception amoureuse m'avait plongée dans un tel état d'hébétude que je fus étonnamment docile. À peine me suis-je arrêtée au but du voyage. À la gare, mamie Florence me remit un paquet.

— Un brin de lecture, pour que la route te paraisse moins longue, lança-t-elle d'un ton léger, alors même que l'intensité de son regard disait l'importance du colis.

Le paquet contenait un cahier. Il resta posé sur mes genoux pendant des heures. Les paysages défilèrent sans que je les voie. Un peu avant le début des Grands Lacs, le train fit un arrêt. Lorsqu'il repartit, un passager en quête d'un siège attira mon attention.

Ses cheveux, sa carrure, sa voix… Un long frisson parcourut tous mes membres. Il me rappelait le jeune instituteur qui m'avait mis le cœur en charpie. J'aurais voulu courir dans les bras de Florence, enfouir mon visage dans la chaleur de son cou et pleurer, encore et encore.

Mais Florence était déjà loin. Alors, pour faire taire ma douleur, j'ai ouvert le cahier.

Cahier de Florence

Premier printemps
et autres saisons

Il y a déjà très longtemps, j'ai vécu d'uniques saisons là où le fleuve devient mer. C'est dans ce royaume de pics somptueux et de caps battus par une mer enragée, dans ce pays d'islets révélés par la marée, d'anses secrètes, de marais grouillant de chevreuils et de petites baies envahies par le tumulte des goélands et les hurlements des loups-marins que l'histoire de Maybel prend racine. Il me semble, encore aujourd'hui, qu'elle n'aurait pu s'épanouir ailleurs que dans ce paysage étrange et fabuleux, hanté par les fantômes, mais protégé par les fées.

J'avais dix-sept ans. Ma famille avait quitté la grande ville de Québec pour s'établir dans la petite paroisse de Sainte-Cécile où papa avait obtenu le poste d'agent de la compagnie Price. Il avait la responsabilité du moulin à scie fraîchement construit et du magasin général attenant. Je venais de terminer mes études au couvent des Ursulines avec d'excellents résultats. J'aurais pu décrocher un poste d'enseignante à Québec au lieu de m'exiler dans ce coin perdu, mais je ne pouvais m'imaginer vivre loin des miens. Dès mon arrivée, les vastes étendues de ciel et d'eau m'ont séduite. J'ai aussi rapidement découvert que les quelques humains éparpillés sur ce littoral déchiré étaient aussi peu ordinaires que le panorama.

Je travaillais au magasin, comme tous les après-midi, lorsque Maybel y entra pour la première fois. Nous avions eu peu de clients ce jour-là. Après plusieurs journées de redoux, le ciel s'était encoléré à nouveau, si bien que les gens hésitaient à se déplacer.

— Une vraie tempête de corneilles! m'avait expliqué Isaac Turcotte, le charron du village. Il faut toujours en endurer une ou deux avant que l'hiver déguerpisse pour de bon. Mais y a pas d'inquiétude. Les corneilles sont de retour. Le mauvais temps ne tiendra pas. Le printemps est tout proche. Vous allez voir!

Maybel avait dû longtemps marcher. Ses longs cheveux mouillés frisottaient sur ses épaules, son vieux manteau de laine sentait la neige fondante et ses pas laissaient des traces de boue. Pourtant, c'est ce qui m'a frappée tout de suite, elle avançait comme une reine, sûre d'elle et sereine. Je me souviens qu'elle touchait à tout, ce qu'aucun autre client n'aurait osé faire. Elle était petite et frêle et, pourtant, elle envahissait l'espace. Son pas était énergique, ses gestes amples. Lorsqu'elle m'aperçut, un immense sourire éclaira son visage.

Elle fonça aussitôt vers le comptoir.

— C'est toi, Florence? s'enquit-elle en promenant sur moi de magnifiques yeux pâles. Mon père m'a dit que tu avais à peu près mon âge. J'avais hâte de te voir, mais je n'ai pas pu venir avant. Ma tante s'est lancée dans toutes sortes de frottages et, comme de raison, j'ai dû l'assister. À mon avis, elle fait ça bien plus pour s'occuper que par grande propreté. C'est parce que mon père va retourner à l'île Bicquette et elle a beau dire, je sais que ça la chagrine de le voir partir.

Pendant qu'elle babillait, un autre client entra. Un grand jeune homme, un de ces pilotes du Saint-Laurent chargés de conduire les navires jusqu'au port de Québec en se guidant sur les clochers, les rochers et les phares pour éviter les écueils. Il s'appelait François Bouvier et s'il venait souvent, je ne m'en plaignais pas. Pendant que je servais mon beau client, Maybel ne cessa de nous observer avec un sans-gêne inouï.

— Que puis-je faire pour vous ? lui demandai-je un peu sèchement lorsque j'eus terminé.

Elle m'examina en silence, visiblement déçue de mon attitude, si bien que j'en eus honte. Mais son visage s'éclaira presque aussitôt.

— Tu l'aimes ! déclara-t-elle, les yeux pétillants de plaisir.

Instinctivement, je regardai autour de moi pour m'assurer que le magasin était bien vide. J'étais stupéfiée. Un tel culot me semblait inimaginable.

Elle éclata d'un rire franc. Un rire fabuleux. Et quelques secondes plus tard, je riais avec elle. Ce même après-midi, elle m'entraîna à la table tout au fond, là où les vieux venaient jouer aux dames. Elle prit ma main droite, en effleura doucement le dos, puis, les yeux noyés de mystère, tourna ma paume vers le haut et glissa lentement son index sur les lignes de ma main. Lorsqu'elle releva les yeux, j'y lus une telle joie que mon cœur bondit en attendant la suite.

— Il t'aime déjà. C'est écrit. Là ! annonça-t-elle, triomphante.

Son doigt s'était arrêté au milieu de ma paume, là où deux lignes se croisent.

— Tu vas l'épouser. Ce n'est pas écrit... Mais je le sais.

Maybel avait raison. Moins de deux ans plus tard, j'épousais François Bouvier et je partais avec lui pour le Manitoba. Je laissais derrière moi la meilleure amie que le ciel ait pu me donner et j'abandonnais en même temps une jeune femme métamorphosée. Car dans les mois qui suivirent notre rencontre, Maybel devint l'héroïne d'une histoire comme on en lit dans les contes de monstres et de fées.

Je savais déjà que Maybel Collin vivait avec son père, Alban, sa tante Béatrice, et l'ancien quêteux qui, à ce qu'on sache, n'avait pas de nom, dans une petite ferme de l'anse à Voilier. Eux seuls pouvaient apercevoir, derrière le cap Enragé, le manoir interdit où habitaient Oswald Grant et son fils. Le passé de la famille de Maybel pouvait étonner, mais celui des Grant était plus troublant encore. Lorsqu'on commença à me parler d'eux, à mon arrivée à Sainte-Cécile, je me souviens d'avoir eu l'impression qu'il s'agissait de personnages inventés. À croire que la marée nourrit les mythes et que c'est dans les battures que poussent les légendes.

Or, ce pays est farci de légendes. On y racontait que le Créateur, après avoir inventé les montagnes, chargea un ange vêtu d'un long manteau de soie bleu de les distribuer sur toute la Terre. Arrivé à la hauteur de Sainte-Cécile, l'ange était épuisé, mais ses poches étaient encore lourdes. Il les vida donc d'un seul coup. Une colonie de montagnes surgit aussitôt de la mer alors qu'une poignée de grenailles enfantait des îles.

Les gens disaient aussi que les anses et les baies de cette région étaient hantées par les fantômes de tous ceux que la mer avait avalés. Et qu'à la pleine lune, les nuits de grande marée, les spectres des disparus dansaient sur la crête des vagues, un flambeau à la main, en poussant des cris à faire frissonner les algues.

L'histoire de la famille de Maybel me semble intimement liée à la mer. Les parents d'Alban furent les premiers colons à s'installer dans l'anse à Voilier. Ils trimèrent dur pour faire reculer la forêt, défrichant une terre de bonne qualité, enrichie par la mer et assez grande pour nourrir une famille de onze.

À vingt ans, Alban obtint une commission de pilote, un statut fort enviable. C'était un homme bon, un grand rêveur, fou d'étoiles, plus enclin à contempler le ciel qu'à surveiller les clochers sur la route d'eau. Pourtant, tous les navires qu'il pilota se rendirent à bon port sans trop de mésaventures. Alban avait une sœur jumelle, Béatrice. Elle prit mari lorsque Alban commença à piloter et le couple s'installa dans l'anse aux Bouleaux. Un an plus tard, son jeune époux périssait sous ses yeux alors que le pont de glace s'effondrait brusquement entre la côte et l'île où ils étaient allés faire provision de bois de chauffage.

Béatrice ne versa pas une larme, ce qui n'étonna guère, car on sait que les grands drames engourdissent l'âme. Il fallut attendre le dégel pour enterrer le défunt. Or, ce jour-là, les yeux de Béatrice restèrent aussi secs. De mauvaises langues suggérèrent qu'elle avait elle-même poussé son mari dans les eaux glacées.

Pour survivre, Béatrice ouvrit sa maison aux voyageurs. Ils étaient nombreux dans cette partie de l'estuaire, car la Grande Île, à quelques milles du village, servait de poste aux pilotes du Saint-Laurent. Quelqu'un raconta que des étrangers s'arrêtèrent chez Béatrice une nuit et n'en ressortirent jamais. En peu de temps, la rumeur s'installa pour de bon. La Béatrice avait du sang de sorcière, disait-on. On recommanda bientôt aux enfants de se signer en passant derrière sa maison pour qu'elle ne leur jette pas de sort. Les commères juraient qu'elle savait aussi dérégler les marées, crever les nuages, déranger les vents et enrager la mer.

Il y eut deux années de disette. À la première, la récolte gela en fin d'été; à la suivante, elle pourrit sur pied. Les frères et les sœurs d'Alban décidèrent de s'établir ailleurs. Fatigués par ces épreuves, les parents d'Alban rejoignirent un de leurs fils à Québec. Alban hérita de la ferme, ce qui fit des gorges chaudes au village, car on le disait plus habile à nommer les étoiles qu'à semer le grain et, au temps des récoltes, il s'intéressait davantage à l'éclat des Perséides qu'à la hauteur du foin.

Un an après le départ des vieux, un navire venu d'Angleterre s'échoua contre le récif du sud-est, non loin de la Grande Île où les pilotes étaient stationnés. En un rien de temps, canots, chaloupes et goélettes filèrent au secours des passagers. Des dizaines périrent, mais les rescapés furent davantage nombreux. Les pilotes avaient l'habitude de ces opérations, les écueils devant la Grande

Île étant parmi les plus redoutables, malgré le phare de l'île Bicquette, tout près. Il suffisait d'un rien pour être déporté.

Alban était de l'équipe des sauveteurs. Il avait déjà ramené deux hommes lorsque sa lanterne éclaira une forme allongée, flottant sur l'eau. Il eut beau crier en s'approchant, rien ne bougea. Alban hissa le corps inanimé d'une femme dans son embarcation. Elle était jeune et d'une grande beauté. Il pressa ses poumons avec une ardeur fiévreuse, déjà affolé à l'idée qu'elle puisse ne jamais plus respirer. Une autre barque s'approcha. Des hommes lui crièrent d'arrêter. Il allait la broyer, disaient-ils. C'était insensé.

Devant ces pilotes qui la croyaient morte, la jeune femme toussa et cracha un filet d'eau salée. Alban eut l'impression de renaître. Peu après, ses rames fendaient l'eau à vive allure. Il emmenait sa protégée à l'île Bicquette, le rivage le plus près. Alban porta la femme jusqu'à la maison du gardien. Il la déshabilla en tremblant, l'enveloppa dans un long manteau de laine et l'étendit près du poêle où il alluma un feu. Des heures plus tard, lorsque le gardien rentra du phare, Alban contemplait sa protégée. Il n'avait jamais été aussi heureux : la femme qu'il avait arrachée à la mer dormait sous ses yeux.

Elle avait quitté l'Angleterre pour occuper un poste de gouvernante chez un riche Anglais à Québec, mais elle ne s'y rendit jamais. En ouvrant les yeux, après s'être battue contre la mer comme une forcenée, elle aperçut Alban, penché sur elle, les joues enflammées et le regard ardent. Il était déjà amoureux. Elle crut succomber à son tour. Ce même printemps, ils s'épousèrent et, un an après, la jeune femme donna naissance à une toute petite fille qu'ils nommèrent Maybel. C'était le nom du navire échoué qui avait mené la belle Anglaise à son pilote.

Peu après les épousailles, Alban dut repartir en mer. À la demande de son jumeau, Béatrice réinvestit la maison paternelle. Sans elle, Dieu sait ce que la ferme aurait donné. L'Anglaise ne connaissait rien à la terre ni aux bêtes. Sa santé semblait fragile, son énergie maigre et sa curiosité pour la ferme nulle. Ce n'est pas tant l'annonce d'une grossesse qui l'accabla, ni même l'éloignement de son jeune époux, mais le quotidien dans l'anse à Voilier. L'implacable routine des bêtes à nourrir, du feu à entretenir, de l'eau à distribuer du potager à l'étable, des mille détails et des cent petits miracles à accomplir, jour après jour, pour se nourrir, se couvrir et préparer la saison à venir.

À son retour, après la saison de navigation, Alban trouva sa femme alanguie. Elle passa l'hiver à caresser son ventre, comme si elle n'avait pas encore compris que dans ce coin de pays tout ce qui apparaissait sur une table avait été arraché à la terre et tout ce qui gardait chaud exigeait des trésors de patience, d'ingéniosité et d'efforts.

À la fonte des glaces, la jeune maman supplia son époux de rester. Alban abandonna sa charge de pilote et tenta de tirer le meilleur de sa terre, mais il n'avait jamais été particulièrement doué et les humeurs de sa femme entamaient son ardeur. Il souffrait de la voir malheureuse. Même les sourires enchantés du bébé n'arrivèrent pas à la dérider. Au troisième été, l'épouse d'Alban rencontra un riche capitaine anglais au village et disparut avec lui. Maybel avait deux ans.

Alban était un homme sage. Il avait déjà compris son erreur. La fuite de sa femme ne changea rien à ses sentiments.

Il continua de l'aimer avec autant de ferveur mais plus de résignation. À qui voulait l'entendre, il expliquait sans honte que sa belle Anglaise était de la race des étoiles filantes et des aurores boréales.

— C'est fou de vouloir les posséder. Elles sont nées pour éblouir, c'est un peu leur métier. Il faut l'accepter.

Au village, on ne l'acceptait guère. Les femmes étaient trop heureuses de médire de l'étrangère.

— Une sans-cœur, une traînée. Et comment pensez-vous que la fille va pousser ?

Les hommes avaient envié Alban lors de sa conquête. En ces temps plus sombres, ils ne firent rien pour l'aider à faire profiter sa terre. Au printemps après la fuite de sa bien-aimée, l'ex-pilote fut contraint de chasser le bruant avec sa sœur jumelle, l'enfant accrochée à son dos. Leurs réserves étant épuisées, ils comptaient sur ce petit animal, qu'on appelait aussi l'oiseau de misère, pour se nourrir. C'est alors qu'arriva le Quêteux, avec un gros mois d'avance.

Personne ne connaissait son nom. Depuis toujours, on l'appelait simplement « le Quêteux » ou encore « l'Arriéré ». C'était un presque géant avec une cervelle d'enfant et un défaut d'élocution suffisamment grave pour qu'il préfère communiquer par gestes. Il pouvait s'acquitter parfaitement de besognes simples et, bien qu'il n'eût jamais appris à lire, il parvenait à remettre entre bonnes mains toutes les lettres et les petits paquets qu'on lui confiait. On le surprenait parfois à chiffonner le coin d'une missive pour mieux la reconnaître.

Ses courts séjours étaient appréciés car il avait le talent de faire rire. Au premier coup d'œil, il devinait les travers des gens et, à la manière d'un gamin espiègle, il prenait grand plaisir à les copier. Il imitait magnifiquement la démarche chaloupée de Pauline Voyer qui était deux fois plus grosse que son mari et il parvenait à se chiffonner la figure pour ressembler au bedeau, un petit homme fripé, perpétuellement inquiet. Il bombait le torse en se tapotant la bedaine comme le curé et se pinçait les lèvres en faisant l'important pour parodier le notaire. Son imitation de la femme du charron, battant des paupières en avançant son imposante poitrine, déclenchait des hurlements de rire. Pour le reste, on pouvait condamner ses manières.

Le curé faisait des ulcères rien qu'à penser qu'un jour le Quêteux remettrait peut-être les pieds dans son église. Quant aux paroissiens, ils ne demandaient pas mieux. Le Quêteux n'avait assisté qu'une seule fois à la grand-messe. La cérémonie n'avait jamais paru si courte et les remontrances du curé si peu inquiétantes. Le Quêteux avait pété pendant l'homélie et, à la communion, il avait redemandé de l'hostie. Après, il était tombé endormi dans son banc, ronflant comme un ogre digérant son troupeau d'enfants.

Le Quêteux n'était pas futé, mais il pouvait tirer presque autant qu'un bœuf, tenir une poutre à bout de bras et déprendre à lui seul n'importe quelle charrette embourbée. Ce printemps-là, il traversa le village comme de coutume, salué par les moqueries des enfants, livrant au passage quelques lettres et des nouvelles en échange d'un morceau de lard ou d'une rasade de p'tit blanc. Une rare frénésie animait le Quêteux en ce début de printemps. Il refusa plusieurs gîtes, pressé de pousser jusqu'à *l'anse à Voilier. Lorsqu'il atteignit la ferme d'Alban, ce dernier suait à grosses gouttes derrière un bœuf paresseux, sa charrue de bois entre les mains. Dans la cuisine, Béatrice ébouillantait des oiseaux de misère en surveillant une minuscule petite fille, si belle qu'on aurait dit une fée.*

Il y eut un déclic dans l'esprit du Quêteux. Une sorte de vision, claire et nette. Il déposa son baluchon et releva Alban. Jusqu'à la nuit tombée, il poussa la charrue, éventrant la terre avec une vigueur peu commune. Le lendemain, il poursuivit sa tâche, et aussi le jour suivant. Puis il aida Alban à réparer la clôture pour que les bêtes ne s'échappent plus. Vint le temps des moutons. Pendant qu'Alban les débarrassait de leur laine, le Quêteux les maintenait au sol d'une poigne si solide que les bêtes se débattaient à peine. Le soir, il mangeait à belles dents tout ce que Béatrice trouvait à mettre dans son assiette, puis il riait comme un enfant en faisant sauter Maybel sur ses genoux.

Alban, Béatrice et le Quêteux finirent par former une famille autour de Maybel et la petite eut le meilleur de chacun. Béatrice lui enseigna à penser pour elle-même et à se tenir droite, à faire fi des rumeurs et à laisser à Dieu le soin de juger les autres humains. Alban, qui n'avait jamais rien aimé autant que sa petite sauterelle, fit tout en son pouvoir pour que l'absence de sa mère ne jette pas d'ombre sur Maybel. Plus que tout, il voulut lui donner la joie. Le Quêteux comprit instinctivement l'entreprise et s'y employa gaiement.

Mais à Sainte-Cécile, je l'ai découvert peu à peu, la marginalité était mal tolérée. Alban n'avait rien de méprisable, sa sœur était une femme généreuse et Maybel, comme sa mère, semblait née pour éblouir. Quant au

Quêteux, c'était un bon gros géant sans malice. Qu'à cela ne tienne, on leur en voulait de vivre autrement. À croire qu'ils avaient eux-mêmes choisi d'installer leur ferme tout au bout du rivage menant aux falaises du cap à l'Orignal et qu'ils avaient planifié de former cette étrange famille.

On leur en voulait aussi d'oser. Oser rêver comme oser s'insurger. Béatrice ne faisait pas vraiment carême. Elle disait que la vie leur réservait trop de privations pour que le Christ souhaite qu'ils s'en imposent davantage. Quant à Alban, il avait refusé de participer à une collecte de fonds du curé pour acheter des statues.

— Je ne peux pas croire que le petit Jésus aime le plâtre, disait-il. S'il s'ennuie tout seul sur sa croix, derrière l'autel, on n'a qu'à percer un trou dans le toit pour qu'il voie les étoiles.

Et bien sûr, on reprochait à Maybel d'avoir eu pour mère une femme sans honneur, une moins que rien, une courailleuse. La belle Anglaise était sans doute le plus grave de tous leurs défauts et Maybel aurait pu en souffrir davantage. Mais déjà, enfant, elle était d'une beauté saisissante qui n'avait rien d'offensant. Le plus souvent mal attifée, sa longue crinière emmêlée, les joues barbouillées de boue, elle n'en était que plus éclatante. Elle était belle d'une manière brute et sauvage, sans mesure, sans ménagement, sans pudeur, mais aussi sans prétention. Le monde semblait lui appartenir. Cette joie qu'Alban avait tout fait pour semer en elle avait fleuri magnifiquement.

Petit à petit Maybel devint Mabelle. On aurait dit qu'en taisant les consonances anglaises les villageois décidaient un peu gauchement de l'adopter. Puis on coupa tout lien avec le navire échoué en l'appelant simplement *la Belle, un peu comme une manière d'admettre, une fois pour toutes, que le bon Dieu l'avait faite ainsi.*

La petite tribu de l'anse à Voilier continua quand même de meubler les conversations. On s'amusait des déconvenues d'Alban et de l'ancien Quêteux, qui semaient trop lâche ou trop serré, engrangeaient trop tôt ou trop tard et laissaient la Belle les mener par le bout du nez.

Maybel avait douze ans lorsque Oswald Grant débarqua d'un navire, peu avant que les feuilles roussissent, et continua en goélette jusqu'au village où l'accueillit son cousin, Archibald Campbell, qui était encore seigneur à l'époque. Pour les habitants de Sainte-Cécile, la visite ne constituait qu'une agréable diversion. Nul n'aurait pu deviner les frayeurs et les passions que l'Écossais allait allumer.

Le seigneur Campbell avait réussi à se faire aimer. Il avait contribué à l'amélioration du chemin du roi et s'était démené pour que la compagnie Price installe un moulin à scie. C'est en hommage à son épouse que la paroisse avait pris son nom et, depuis, Sainte-Cécile avait grossi et forci rapidement. On ne se méfia donc guère du cousin.

Oswald Grant resta toute une saison. C'était un homme riche, bien plus que le seigneur Campbell. Il gérait sans trop d'efforts une fortune familiale colossale, ce qui lui laissait beaucoup de temps pour s'adonner à son unique passe-temps : la chasse. L'Écossais pratiquait cette activité de manière obsessive et sauvage. Il avait entrepris ce voyage, abandonnant temporairement sa femme et son fils, après qu'on lui eut vanté les récoltes de gibier en Amérique.

On ne connaissait du cousin que ses talents de chasseur. La légende voulait qu'à douze ans, il ait accompli un grand exploit. Parti traquer le lièvre en France avec son père et d'autres chasseurs, le jeune Oswald s'était retrouvé à l'écart du groupe et un sanglier en avait profité pour le charger.

L'enfant ne cria pas. Il épaula son fusil et attendit, avec un sang-froid inouï. Le bruit sourd d'une détonation alerta les autres chasseurs. Ils découvrirent le sanglier abattu à quelques pas du gamin. Le père et le fils rapportèrent la hure et au fil des ans, bien d'autres panaches vinrent orner les murs du château familial.

Archibald Campbell s'était enorgueilli de faire découvrir son domaine à un chasseur aussi éminent. Il l'emmena dans les marais salés à l'aube, alors que les chevreuils quittent la forêt pour brouter sur la berge. Puis, à marée basse, ils abattirent des loups-marins somnolant sur les blocs rocheux dans l'anse aux Bouleaux. Le cousin semblait insatiable. Ils cinglèrent vers le large pour éclabousser la mer du sang des marsouins et au retour, ils piégèrent assez de renards pour vêtir une famille entière avec les peaux. Oswald Grant admit que ces chasses étaient plus miraculeuses que dans ses rêves les plus fous.

Avant de repartir, l'Écossais obtint de son cousin une vaste concession englobant l'île aux Plumes, de la pointe aux Épinettes jusqu'au cap Enragé. Il donna des ordres pour qu'une dizaine d'hommes travaillent à construire un vaste manoir dans l'anse aux Bouleaux ouest. L'emplacement, si loin du village comme du chemin du roi, était surprenant. Seuls les habitants de l'anse à Voilier, à près de deux milles sur l'autre rive, pourraient apercevoir l'habitation. À croire qu'Oswald Grant avait quelque chose à dissimuler.

Au printemps avant le retour de l'Écossais, Maybel eut treize ans. Elle savait carder, filer, tisser, fouler et teindre la laine et elle avait appris à tirer d'un porc comme d'un bœuf tout ce qu'il faut pour que rien ne se perde. Elle aidait Béatrice à faire pousser des légumes et des fleurs, à tirer le lait et à baratter le beurre, à ajouter juste assez de lessi à la graisse bouillonnante pour fabriquer un bon savon. Maybel s'accommodait assez bien de toutes ces tâches, mais elle préférait les activités plus exaltantes. Grimper au sommet du pic Champlain, par exemple. Là, penchée au bord du vide, elle jouait à avoir peur, en riant de se sentir si merveilleusement vivante. Elle aimait aussi qu'Alban nomme pour elle les étoiles et que Béatrice lui confie ses dernières manigances pour garder intacte sa réputation de sorcière, ce qui lui assurait de n'être courtisée par personne. Ils se débrouillaient maintenant si bien que le Quêteux les quittait parfois pour quelques semaines, histoire de renouer avec la route.

Maybel et Alban assistèrent au retour de l'Écossais. Ce jour-là, la brume était si dense qu'on ne vit même pas le navire approcher. Le gardien de phare de l'île Bicquette avait tiré plusieurs coups de canon, un signe de fort mauvais temps. Lorsqu'un bateau émergea du brouillard, tel un fantôme égaré, les villageois s'empressèrent de faire courir le mot. Maybel et Alban allaient repartir vers l'anse à Voilier lorsqu'ils furent mis au courant.

Les badauds ne virent d'abord que des caisses et des malles empilées par les manœuvres, aidés par quelques domestiques. L'opération dura des heures, à croire que l'Écossais avait mis tout son pays en boîte. Le jour se mit à décliner derrière le brouillard, les curieux auraient dû se disperser, mais l'atmosphère était trop étrange. Tous attendaient l'Écossais. On aurait dit les gens cloués sous ce ciel trop lourd et jamais les cris des mouettes n'avaient semblé aussi sinistres.

Oswald Grant débarqua enfin. Il avança lentement, titubant un peu avant d'affermir son pas, le regard fixe, l'œil morne et le dos bien droit malgré la lourde charge dans ses bras.

Il transportait un corps inanimé, celui d'une femme, grande et mince, enveloppée de mousseline. Le visage de cette dame, d'une pâleur extrême, était éclairé par une toison flamboyante. Ses longs cheveux flottaient au vent, fouettant ses joues exsangues et battant contre les cuisses de l'homme.

Oswald Grant ramenait le cadavre de son épouse, morte deux jours plus tôt alors que le navire remontait lentement l'estuaire. La pénombre ne parvenait pas à dissimuler les taches écarlates sur l'étoffe fine couvrant la défunte. La pauvre femme avait perdu beaucoup de sang avant de s'éteindre mystérieusement. L'Écossais avait refusé qu'on la touche. Depuis son dernier souffle, il l'avait gardée tout contre lui.

Derrière Oswald Grant marchait un jeune homme. Son fils. De loin, déjà, on remarqua qu'il portait une longue écharpe rouge enroulée autour de son cou malgré la température clémente. À mesure qu'il s'approchait et que *l'annonce de la mort de sa mère se répandait, la scène se précisa.*

Le fils portait un masque.

C'était un masque de cuir, souple et fin, noué derrière la tête avec quatre brins. Le front découvert du jeune homme révélait une chair meurtrie. Sa chevelure fauve était abondante, mais il n'avait plus de sourcils. Rien ne préparait à la vue des yeux immenses qui semblaient dévorer son visage. Sous le regard noir, obsédant, le masque était plaqué sur une peau qu'on devinait ravagée, car le cuir mince se plissait et se creusait par endroits, notamment au milieu du nez. Une large ouverture révélait une bouche quasi intacte. De près, toutefois, on remarquait que les lèvres étaient rongées à la commissure, d'un seul côté, celui du cœur.

Un malheureux osa exprimer ce dont tous étaient déjà convaincus.

— Le fils est un monstre! s'exclama-t-il, vivement impressionné.

L'Écossais fit encore quelques pas avant de s'arrêter devant l'effronté. L'homme fut pris de frayeur en découvrant le regard dément d'Oswald Grant. Toujours chargé du cadavre de sa femme, l'Écossais s'adressa à la foule dans un français impeccable.

— Regardez-le bien, car vous ne le reverrez plus! déclara-t-il, la voix blanche de colère, en désignant son fils du menton.

Oswald Grant promena un regard lourd de menaces sur les hommes et les femmes assemblés. Une lueur hystérique brillait dans ses yeux.

— Je vous interdis de mettre les pieds sur mes terres. Ceux qui oseront le regretteront. Ne l'oubliez jamais !

L'Écossais était revenu en fin d'été, alors que les asters commençaient tout juste à fleurir. Dans les jours qui suivirent, les eiders entreprirent leur dérive vers d'autres eaux, les oiseaux de proie envahirent le ciel, criant leurs adieux avec des accents troublants et des milliers d'outardes fuirent trop tôt, comme si elles avaient peur des nouveaux arrivants.

Un peu avant l'hiver, le seigneur Campbell quitta Sainte-Cécile. Le gouvernement ayant décrété la fin du régime seigneurial, Archibald Campbell voulut retourner dans son pays natal. Il y eut toutes sortes d'arrangements entre le maître et ses censitaires, mais le vœu secret de tous ne put être exaucé. Oswald Grant restait propriétaire d'un immense domaine désormais interdit.

L'Écossais ne cessa de défrayer la chronique. Il recevait souvent des marchandises de Québec ou d'outre-mer et ce déploiement de luxe irritait les villageois, qui vivaient presque tous très modestement. Oswald Grant chassait sans relâche. Aux premières neiges, il engagea Arthur Rioux pour l'aider à installer des collets et des pièges.

Un matin de novembre, Rioux fut témoin d'une scène éprouvante. Grant l'avait fait venir tôt pour l'aider à relever des pièges. Ils avaient déjà trouvé trois lièvres. Au site suivant, ils tombèrent sur un renard roux.

— Une superbe bête, raconta Rioux. La fourrure épaisse et tellement brillante que, de loin, on l'aurait crue en feu.

L'Écossais s'agenouilla à côté du renard. Il aimait ce premier contact avec l'animal, la surprise de le découvrir raide ou chaud, sans vie ou prêt à mordre. Il désamorça adroitement le piège, libérant la patte broyée. L'animal s'était longuement débattu : la fourrure vilainement déchirée révélait les tissus jusqu'à l'os. La pauvre bête respirait toujours. Le pelage cuivré se soulevait encore lentement, animé par les dernières palpitations. Du sang maculait la neige.

Oswald Grant resta un long moment immobile. Puis il contempla tour à tour sa proie et ses mains rougies par le sang, comme s'il n'arrivait plus à cerner son rôle dans cette mise à mort.

— Lily... murmura-t-il.

Des corbeaux répondirent.

— Lily ! cria-t-il alors.

Il y eut quelques battements d'ailes, suivis d'un croassement lugubre. Puis le silence. Rioux comprit qu'un drame se jouait devant lui. Parce qu'il avait vu l'Écossais débarquer quelques mois plus tôt avec cette femme aux cheveux roux dans ses bras, il devina que, dans l'esprit tourmenté de Grant, les toisons s'étaient emmêlées. Le renard devant lui n'était plus une bête.

— Lily ! rugit l'homme, d'une voix si désespérée que la forêt elle-même parut ébranlée.

Un silence oppressant s'installa à nouveau. L'Écossais se mit à pétrir la bête comme pour la ramener à la vie. Il la caressa, la massa, enfouit son visage dans les dernières chaleurs de son ventre puis, comme fou, il la repoussa sauvagement avant de la presser encore contre lui avec des gestes infiniment tendres.

— Il avait l'air complètement perdu, raconta Rioux.

Oswald Grant finit par émerger de sa torpeur, mais il refusa de lâcher la bête. Il la porta jusqu'au manoir, ignorant totalement Rioux qui l'escorta un moment à distance. Dans les semaines qui suivirent, Rioux apprit d'un domestique qu'Oswald Grant avait entrepris de naturaliser lui-même l'animal. Gauchement, affectueusement, l'Écossais empailla le pauvre renard à la patte déchiquetée.

L'étranger n'arrêta pas de chasser, mais il s'y livrait avec moins d'ardeur et il ne posait jamais de piège dans lequel un renard eût pu s'engager. Rioux n'étant guère discret, tout le village fut bientôt au courant du délire amoureux de l'Écossais, ce qui le rendit plus humain et sans doute aussi moins redoutable. On s'accommoda donc bien de cet épisode jusqu'à ce qu'Oswald Grant découvre, à la limite de ses terres, quelques pièges sans doute installés par des jeunes en quête d'exploits. Dans l'un d'eux, il trouva un renard roux réduit à se dévorer une patte pour fuir.

Grant libéra l'animal sans prendre assez de précautions, si bien qu'il fut gratifié d'un vilain coup de dents. Lorsque Rioux, qui l'accompagnait, le vit déchirer sa chemise, il crut que c'était pour se fabriquer un pansement. L'Écossais utilisa plutôt l'étoffe pour museler la bête et lui attacher les pattes avant de la ramener avec lui.

Il mit d'abord le renard en cage, mais l'animal ne cessait de grogner, de gémir, de se lamenter et de mordre les barreaux. L'Écossais chargea Rioux de construire un vaste enclos. Il devait partir quelques jours et espérait qu'à son retour l'enclos serait achevé. Oswald Grant précisa à Rioux que ni lui ni ceux qui l'assisteraient ne devaient s'approcher du manoir durant son absence.

Alban faisait partie des hommes auxquels Rioux demanda de l'aider. La mer s'était déjà depuis longtemps soudée à la côte. Pendant ces quelques jours où ils construisirent l'enclos, l'hiver sévit. Au troisième après-midi, pourtant, l'ouvrage fut terminé. Alban offrit de ramasser l'équipement. Une fois tout bien rangé, il s'approcha du manoir malgré l'interdiction. Avant l'arrivée de l'Écossais, le père de Maybel venait parfois marcher sur la grève de l'anse aux Bouleaux. De là, il pouvait distinguer, sur l'autre rive, sa petite ferme et la grange-étable un peu à l'écart.

Alban prit plaisir à renouer avec ce paysage. Il trouvait réconfortant de pouvoir ainsi embrasser du regard tout ce qu'il possédait. Béatrice et Maybel devaient commencer à carder ce jour-là. Elles avaient réussi à nettoyer la laine avant le froid. À son retour, le plancher serait couvert de mousse grise. Alban dut sourire, il avait hâte de rentrer.

Au moment où il quittait la plage devant le manoir, Alban distingua un mouvement dans la forêt, tout près. Une ombre s'était déplacée. Et ce n'était pas un chevreuil.

— Qui est là ? demanda-t-il.

Il était persuadé que c'était un homme et il ne pouvait s'empêcher d'imaginer que c'était peut-être le fils. Le grand jeune homme au visage pourri.

— Étampé par le diable ! Rongé par le démon ! clamaient les mauvaises langues.

Alban attendit un bon moment avant de repartir. L'homme avait fui comme par enchantement, sans faire craquer une seule branche. Alban poursuivit sa route en songeant au fils de l'Écossais. Personne ne l'avait revu depuis le jour du débarquement. Or, de l'avoir deviné si proche, soudain, avait touché Alban. Il trouvait ignoble qu'un humain soit ainsi soustrait du reste du monde.

À son retour dans l'anse à Voilier, Alban partagea ses réflexions avec les siens. Maybel fut particulièrement émue à l'idée du jeune homme masqué fuyant parmi les arbres. Elle pensait souvent au fils de l'Écossais isolé dans ce manoir avec pour seule compagnie quelques domestiques et un père geôlier.

Quelques semaines plus tard, Rioux apprit d'O'Connell, le seul domestique avec qui il conversait un peu, qu'un autre renard avait été sauvé par Grant, puis libéré dans l'enclos. Il y en eut bientôt quatre et, au printemps, douze.

Cette histoire d'enclos enrageait les habitants. Oswald Grant ne semblait pas désireux de tuer les renards pour vendre leur fourrure et il n'allait sûrement pas les embrocher. Il voulait donc les protéger. Or, pour un fermier, il n'y a pas pire ennemi que ces petites bêtes trop futées qui vident un poulailler en un rien de temps. L'enclos était solide, Rioux pouvait en témoigner, mais, un jour ou l'autre, une bête y trouverait une faiblesse ou se ménagerait une sortie en creusant le sol.

La grogne empira quand l'Écossais décida de varier le menu de ses renards. Au lieu d'offrir aux habitants les lièvres qu'il capturait, Oswald Grant les donnait maintenant en pâture à ses protégés. Lorsque le fils du forgeron annonça qu'il souhaitait se départir d'un vieux cheval, tout juste assez bon pour transporter de petites charges, l'Écossais l'acheta, le fit débiter et embarqua la viande dans une charrette. Rioux admit l'avoir aidé à décharger les quartiers dans l'enclos. Tout le monde en fut scandalisé.

— Tenez-vous bien ! Un bon jour, l'Écossais va trancher un de nos enfants en rondelles pour le donner à ses maudits renards, dit Isaac Turcotte.

Au début du printemps, la carriole de l'Écossais s'embourba sur le chemin du roi entre l'anse à l'Orignal et le cap aux Corbeaux. Ce jour-là, le ciel était un vrai déversoir. On eût dit qu'il tombait des clous. L'Écossais s'échina longtemps avec une pelle de fortune pour tenter de dégager les roues. Coup sur coup, deux hommes le dépassèrent avec leur attelage sans offrir leur secours. O'Connell raconta plus tard, avec une pointe d'indignation, que son maître avait failli attraper la crève. Il était rentré au manoir à pied, à la nuit tombée, épuisé et fiévreux.

C'est à cette époque qu'on se mit à parler davantage du fils. De temps en temps quelqu'un rapportait l'avoir vu arpenter les caps ou patrouiller la grève à des heures indues, son écharpe rouge flottant derrière lui. Deux pilotes l'avaient reconnu, émergeant du brouillard à l'aurore dans une petite barque charriée par la marée. Un soir de pleine lune, ils l'avaient aperçu grimpé sur les falaises au bout du cap Enragé pendant qu'un couple d'éperviers décrivait de grands cercles au-dessus de lui.

— Rien que d'y penser, j'en ai la chair de poule, commenta Isaac Turcotte. Imaginez! Des rapaces qui n'osent pas retourner à leur nid parce qu'ils ont peur d'un homme. Ça en dit long sur la face pourrie, non?

Turcotte jurait avoir vu le fils de l'Écossais nager avec les loups-marins, mais on attribua cette vision au vin de cerise que fabriquait sa femme.

— Es-tu fou, Isaac! Les loups-marins ont beau être curieux, ils sont quand même assez fins pour se tenir loin d'une face de même. Le diable lui-même en aurait peur!

Maybel ne perdait rien de ces discussions sur le parvis de l'église. L'Écossais et son fils hantaient de plus en plus son imagination. Elle s'était prise d'aversion pour le père, mais refusait de croire que le fils puisse être mauvais. Plusieurs fois, déjà, elle s'était approchée du manoir dans l'espoir de l'apercevoir. L'entreprise était risquée, mais, à ses yeux, cela ne faisait qu'ajouter du piquant. Maybel avait appris à aller au bout de ses désirs et elle était résolue à percer le mystère du jeune homme affublé d'un masque.

À la brunante, elle s'était déjà aventurée jusqu'au parc à renards. L'un d'eux était venu gratter la clôture, tout près. C'était un bel animal. Sa fourrure dense était presque dorée à la lumière du soir. Maybel n'avait jamais vu un renard d'aussi près. Elle prit plaisir à regarder les fines pattes noires, les oreilles pointues, sombres elles aussi, et le museau effilé, dernière tache de nuit sur un pelage de feu. En poursuivant son exploration, Maybel fut frappée par le regard triste et résigné de la bête, d'une intensité obsédante.

— Il n'y avait pas une once de malice dans ses yeux, me raconta Maybel beaucoup plus tard. Le pauvre animal mourait d'envie de courir les sous-bois, il aurait fait n'importe quoi pour sortir de l'enclos.

Le printemps était déjà avancé le jour où Oswald Grant arriva à la forge, furieux. La moitié de ses renards avaient disparu pendant la nuit. Alerté par des glapissements, il était accouru juste à temps pour voir la silhouette du coupable disparaître entre les arbres. Il avait refermé la brèche par où les bêtes fuyaient et s'était promis d'embrocher le malfaiteur si jamais il arrivait à lui mettre le grappin dessus.

— Pour plus de chance, j'installe des pièges à ours ! annonça-t-il.

Ce n'étaient pas des paroles en l'air. Oswald Grant se procura des pièges à ours qu'il éparpilla autour du manoir et de l'enclos. Seuls ses domestiques en connaissaient l'emplacement.

Maybel hésita un peu avant d'entreprendre sa folle équipée. Elle avait acquis une immense foi en la vie et une confiance en elle-même si grande qu'elle en avait conçu un vague sentiment d'invincibilité, ce qui n'est pas si rare à cet âge mais, dans son cas, prenait des proportions démesurées. Munie d'une pelle avec laquelle elle explorait le sol avant chaque pas, elle s'approcha encore une fois de l'enclos. Une demi-douzaine de renards y étaient toujours captifs. À l'arrivée de Maybel, ils s'assemblèrent là où leur prison s'était déjà miraculeusement ouverte. Maybel sentit sa gorge se serrer en remarquant que deux femelles étaient pleines.

Elle voulait libérer les renards, mais à mains nues, elle n'arrivait pas à ouvrir l'enclos. Elle y retourna donc le lendemain, bien décidée, cette fois, à parvenir à ses fins. Maybel se faufila dehors en cachette, comme la nuit précédente, armée d'un marteau et de quelques outils. Elle courut sur la grève, longeant les baies et les anses, consciente du peu de temps dont elle disposait avant que la marée envahisse l'estran. Dès qu'elle put entrevoir le manoir, elle quitta le rivage, essoufflée, les oreilles bourdonnantes, et s'enfonça dans la forêt. C'est alors, seulement, qu'elle entendit les glapissements et les jappements auxquels se mêlaient les cris de l'Écossais. Maybel se cacha derrière quelques bouleaux et attendit, roulée en boule, le cœur prêt à exploser.

Les renards s'étaient échappés de l'enclos. Un homme, le même sûrement que l'autre fois, les avait libérés. Qui diable cela pouvait-il être? Un des fermiers, forcément. Mais n'aurait-il pas tenté d'abattre les bêtes? À moins qu'il n'ait voulu les attirer plus loin. Maybel s'attarda à ces hypothèses pour ne pas céder à la panique. Pour oublier qu'Oswald Grant était tout près. Et fou de rage. Au bout d'un moment, les cris des bêtes ne lui parvinrent plus qu'étouffés. Elle songeait à repartir lorsqu'elle entendit des pas. Quelqu'un s'approchait.

C'était l'Écossais. Il se dirigea vers Maybel en pressant une longue écharpe rouge contre sa poitrine. Soudain, il buta contre un objet. Maybel parvint tout juste à retenir un cri. Oswald Grant ramassa le marteau qu'elle avait dû échapper en courant. L'Écossais s'éloigna en emportant l'outil avec lui.

Cette fois, Maybel ne put cacher son escapade. La mer ayant envahi la plage, elle dut escalader la pointe aux

Épinettes, se frayer un chemin parmi les broussailles en bordure du marais salé et contourner la montagne Ronde. À son arrivée, Alban, Béatrice et le Quêteux l'attendaient, malades d'inquiétude.

Le lendemain, Alban raconta l'aventure de Maybel à Rioux, le priant de faire enquête pour connaître la réaction de l'Écossais. Allait-il tenter de découvrir le propriétaire du marteau ? Si tel était le cas, Alban se doutait bien qu'Oswald Grant finirait par trouver quelqu'un qui parlerait. Tout le monde ne le portait pas dans son cœur et l'outil était marqué des initiales de son père. Tôt ou tard, on le reconnaîtrait.

Rioux avait grandi dans une ferme désormais abandonnée pas très loin de l'anse à Voilier. Enfant, il avait joué avec Alban et le tenait en bonne amitié. Il parvint à s'entretenir avec O'Connell le jour même. L'histoire que Rioux rapporta à Alban, puis répandit à tout vent, étonna ceux qui l'entendirent.

Le marteau n'avait pas impressionné l'Écossais autant que l'écharpe rouge qu'il avait trouvée accrochée à l'enclos, exactement là où une ouverture avait été ménagée pour faire sortir les bêtes.

— Pour l'Écossais, ce bout d'étoffe, c'est une signature, expliqua Rioux. Oswald Grant ne cherchera pas le coupable au village pour la simple et bonne raison qu'il est dans sa maison. C'est son fils !

Il ajouta encore :

— Dis adieu à ton marteau, Alban. L'Écossais doit penser qu'il appartient à un de ceux qui ont travaillé à l'enclos.

De toute manière, il pourrait seulement t'accuser d'avoir rôdé.

À compter de ce jour, l'Écossais laissa l'enclos désert. Béatrice, qui était sans doute un peu sorcière dans sa manière de percer l'âme des humains, confia à Maybel qu'à son avis, Oswald Grant avait achevé son deuil. C'est pour ça qu'il laissait l'enclos vide. Son fils avait attendu juste le temps qu'il fallait avant de libérer les renards.

Quelques jours plus tard, O'Connell et sa femme furent congédiés. Oswald Grant les fit héberger à la Grande Île en attendant le prochain navire pour l'Écosse. Deux domestiques arrivèrent par bateau. Ils étaient parfaitement unilingues et terriblement peu engageants. Rioux, qui avait été souvent mandé pour de menus travaux, fut instruit de ne plus jamais remettre les pieds sur les terres de l'Écossais. Oswald Grant avait renoncé à ses renards, mais il renforçait les murs autour de la prison de son fils. Les informateurs disparus, plus personne n'aurait idée de ce qui se passait au manoir. Oswald Grant était désormais le seul à sortir de ses terres, le seul à fréquenter la forge comme le magasin général.

L'automne fut clément. Les agriculteurs parvinrent à engranger à peu près tout ce dont ils auraient besoin. Rioux et Alban s'entraidèrent pour la boucherie et une fois la besogne terminée, les deux familles s'entassèrent dans la cuisine de Béatrice pour un festin de cochonnailles. Il faisait froid, aussi les hommes enfilèrent-ils quelques petits remontants « pour se fabriquer du courage » pendant qu'ils travaillaient dans le fournil. Au repas, le cadet Rioux, qui avait quelques années de plus que Maybel, la dévora des yeux comme s'il venait tout juste de découvrir son existence.

Au cours de l'été, Maybel s'était transformée. Ses seins s'étaient épanouis, ses hanches affermies et sa silhouette toujours élancée paraissait moins frêle. Une sensualité nouvelle, dont elle n'avait pas encore conscience, l'habitait. Ses gestes étaient aussi vifs, elle n'avait rien perdu de son allure brouillonne et ses yeux avaient gardé leur teinte violacée si bien que lorsqu'elle souriait, le monde entier semblait en fête. Elle était belle d'une manière aussi claire et peu inconvenante qu'avant, mais avec une grâce radieuse qui enchantait le regard. Si le fils Rioux fut vite à le remarquer, la transformation n'échappa bientôt plus à personne.

Au début de l'hiver, un événement transforma la vie d'Alban. Le phare de l'île Bicquette, à une demi-douzaine de milles du village, était occupé depuis plusieurs années, d'avril à octobre, par un gardien et son assistant. Ils gagnaient l'île un peu avant le passage des oies blanches et y restaient jusqu'à ce que les glaces frangent la plage, assumant jour après jour des quarts de six heures à surveiller les grosses lampes à huile et à guetter l'horizon. C'était une tâche d'une extrême importance, le phare de l'île Bicquette ayant sauvé bien des vies.

Cette année-là, on ne sait trop pourquoi, il fut décidé que le gardien de phare et son assistant resteraient plus longtemps. Alphonse Chénard et son fils firent des provisions au village en octobre avant de retourner à l'île Bicquette avec mandat de ne pas revenir avant que la banquise soit formée. Un mois plus tard, les deux hommes réapparaissaient, plus morts que vifs, le visage aussi pâle que celui d'un fantôme. Et c'était de fantôme, justement, qu'il était question.

L'île Bicquette est à la merci de tous les vents. L'été, avec les milliers d'eiders qui y nichent et l'intense activité marine aux alentours, le gardien et son aide étaient moins conscients des bruits secouant l'étroit bâtiment, surtout la nuit. Le froid venu, les vents se firent plus mordants et le phare s'anima. On aurait dit qu'une créature féroce guettait derrière les murs, les fenêtres, le toit, raclant les surfaces de ses pattes griffues, sifflant, grognant, soufflant, tant et tant que les Chénard finirent par croire que le phare était hanté. Ils tinrent bon malgré tout jusqu'à ce qu'une nuit, le fils réveille son père en jurant avoir aperçu une ombre grise dansant autour des grosses lampes du phare.

— C'est un fantôme, hoquetait le fils. Un malin prêt à répandre l'huile, prêt à mettre le feu.

Les Chénard voulurent fuir la nuit même, mais de trop fortes bourrasques les forcèrent à rebrousser chemin. Ils attendirent deux jours et autant de nuits, de plus en plus paniqués, avant de tenter encore leur chance, ramant cette fois comme si le diable était à leurs trousses.

Chénard songeait déjà à sa retraite et son fils n'avait plus du tout envie de prendre la relève. On eut beau décréter que la saison prendrait fin comme de coutume en octobre, les deux hommes déclarèrent forfait. Il fallait engager un autre gardien. En l'apprenant, Alban parut ébranlé. Béatrice comprit. Elle parla à Maybel, puis expliqua l'affaire au Quêteux. Ensemble, ils encouragèrent Alban à postuler l'emploi.

Quelques semaines plus tard, Alban organisa une petite fête à laquelle furent invités les Rioux et d'autres amis. Le nouveau gardien du phare de l'île Bicquette était ravi par la perspective des saisons à venir. Depuis qu'il avait quitté sa charge de pilote pour devenir simple colon, quinze ans plus tôt, il avait enduré sans se plaindre la fatigue quotidienne, les obligations continuelles et, surtout, l'esclavage bien réel que représentent une terre et des bêtes pour ceux que cette vie n'attire pas. Alban le rêveur, le grand fou d'étoiles, allait enfin pouvoir concentrer son regard sur le ciel. Les trois derniers fils Rioux se relaieraient pour le seconder au phare et Béatrice engagerait quelqu'un pour les gros travaux.

L'hiver s'installa pour de bon. Un après-midi, l'Écossais s'arrêta à la forge et y fit circuler une bouteille d'eau-de-vie. À trente degrés sous zéro, même s'ils se méfiaient de l'individu, les hommes n'eurent pas le courage de refuser. Oswald Grant raconta à la ronde qu'il rentrait d'une excursion au cours de laquelle il avait appris à capturer le loup-marin au trou, en pleine banquise.

— Comme les peuples du Nord ! se vanta-t-il.

Il semblait adorer cette chasse exigeante et sournoise. Sans doute entretenait-il une rancœur envers ces loups-marins qu'il prenait un plaisir sauvage à abattre. Quelques saisons plus tard, Maybel découvrit ce qui poussait Oswald Grant à s'acharner sur ces bêtes.

Pendant tout l'hiver, nul ne put rapporter les déplacements du fils de l'Écossais.

— La prochaine fois que le vieux est de bonne humeur, je vais lui demander si son horreur de fils est toujours vivant, fanfaronna Isaac Turcotte peu après le passage des oies.

Il n'eut pas à le faire. La « face pourrie » se manifesta avant.

Depuis plusieurs semaines déjà, Alban passait ses nuits dans le phare, traçant des lignes imaginaires entre les étoiles pour dessiner des territoires auxquels il attribuait des noms extraordinaires. Le Kaldawi, L'Étourloupe, la Sagamane... Un matin, alors qu'il dormait depuis quelques heures à peine dans la petite maison derrière le phare, il fut réveillé par Félicité Gagnon, un pilote de la Grande Île, venu l'avertir que la mère Sirois serait enterrée le jour même. C'était la sœur d'Isaac Turcotte, une femme qu'Alban connaissait depuis toujours. Alban s'assura qu'un pilote viendrait prendre la relève du fils Rioux si jamais lui-même tardait à rentrer et il alla détacher sa barque.

Le vent avait forci. Un nordet lourd de bruine qui n'augurait rien de bon. Alban contempla l'idée de retourner dormir, puis il songea que ses prières au chevet de la défunte seraient mieux entendues si, pour les faire, il devait ramer longtemps et avec ardeur. Il serait aussi heureux de revoir les siens, surtout Maybel.

La mer était déserte. Les oiseaux et les loups-marins se méfiaient de ce vent contre lequel Alban dut lutter encore plus qu'il ne l'avait anticipé. Lorsqu'il dépassa enfin le récif de l'Orignal, après plusieurs heures d'efforts,

Alban sentait tous les muscles de ses bras, de son ventre et de son dos tendus à l'extrême et douloureux. Heureusement, il approchait des falaises du cap Enragé. Bientôt il apercevrait le village au loin.

C'est alors que le ciel se fracassa d'un coup. Une pluie dense s'abattit, fouettant le visage d'Alban et faisant tanguer son bateau. Il continua de ramer en visant l'île Brûlée qui lui servait désormais de repère, pendant que les vagues enflaient à vue d'œil. Soudain, sa barque refusa d'obéir, comme si le vent l'eut avalée, niant à Alban tout droit de gouverne. Le bateau fut ainsi happé puis recraché dans l'anse aux Bouleaux, un havre naturel, déserté depuis que l'Écossais s'y était établi.

Alban s'approcha de la rive et tira son embarcation lourde d'eau sur la grève. Il souhaitait gagner le village à pied, en traversant les terres d'Oswald Grant. Tant pis pour l'interdiction de passage, il n'était pas arrivé là de son gré. L'Écossais lui-même ne pouvait rien contre les débordements du ciel. Pour se réchauffer et parce qu'il était déjà tard, Alban courut. Il était tout près du manoir lorsque son pied glissa sur une pierre. Le pauvre homme grimaça de douleur autant que de dépit en reconnaissant les signes d'une vilaine entorse. Il cassa une branche pour s'en faire un appui et poursuivit sa route en clopinant.

En passant près de l'ancien parc à renards, Alban crut percevoir des gémissements. Il tendit l'oreille. Ce n'était pas le vent. On aurait dit un animal, et pourtant, la plainte n'était pas celle d'un lièvre, d'un renard ou d'un porc-épic. C'était un emmêlement étrange de toutes ces bêtes à la fois, miaulements, jappements et sanglots, entrecoupés par des lamentations si douloureuses qu'on aurait dit un loup-marin attaqué par une nuée de goélands.

Alban découvrit une silhouette appuyée à l'enclos. Lorsqu'elle remua, une peau de loup-marin glissa sur le sol, révélant un bout d'écharpe rouge. Oubliant sa blessure, Alban se précipita vers le fils de l'Écossais. Le jeune homme poussa un cri de bête si déchirant qu'Alban s'arrêta, saisi. Il n'avait jamais rien entendu de pareil. C'était comme si la plainte n'était pas sortie du ventre de l'homme mais des entrailles de la terre. Le fils cachait son visage derrière ses bras. Il ne portait pas de masque.

— Êtes-vous blessé ? demanda Alban en s'agenouillant près du jeune homme.

Il y eut un long silence. La pluie avait cessé. On n'entendait plus que le faible tremblement des feuilles.

— Partez ! souffla le fils de l'Écossais.

Sa voix frémissait, comme s'il déployait des efforts inouïs pour étouffer une douleur secrète.

— Laissez-moi vous examiner, plaida Alban.

Le jeune homme émit un soupir étranglé.

— C'est un mauvais jour pour moi aussi, commença Alban avec l'impression que chaque mot prononcé tissait un lien entre le fils et lui. J'ai ramé comme un fou pour arriver à temps... à un enterrement. C'est bête quand on y pense ! J'ai été déporté par le vent et après, je me suis tordu une cheville en courant. C'est déjà pas mal enflé. Mais je devine que ce qui vous taraude est beaucoup plus grave...

Les ombres s'étiraient déjà entre les arbres. Le jeune homme semblait retenir son souffle. Alban songea qu'il était à peine plus âgé que sa fille. Le gardien de phare avança lentement un bras pour caresser la tignasse du jeune homme.

— Non! hurla ce dernier en se relevant brusquement pour échapper à la main d'Alban.

Il n'avait pas eu de difficulté à se relever. «De quel mal peut-il bien souffrir?» se demanda Alban. Le fils d'Oswald Grant le dominait maintenant de sa haute silhouette. Il cachait encore le bas de son visage de ses bras. Ses yeux étaient immenses et ils n'avaient rien de redoutable. Ils exprimaient surtout une profonde tristesse.

Alban fit un pas vers le jeune homme. Ce dernier recula, paniqué, et en se retournant pour fuir, il laissa tomber ses bras. Un courant glacé courut dans le dos d'Alban.

Était-ce une illusion? Il avait eu le temps d'entrevoir le contour d'une joue.

Mais il n'y avait pas de joue. C'était un trou.

Le jeune homme disparut et Alban poursuivit sa route, trop ébranlé pour songer à sa blessure. Peu après, un domestique arriva en courant. Il pria Alban de le suivre. Alban laissa le domestique l'escorter jusqu'au manoir.

Ce qu'il y vit et ce qu'il y vécut resta à jamais gravé dans sa mémoire.

La splendeur, d'abord. Alban n'avait jamais mis les pieds dans pareil bâtiment. Les plafonds étaient extra-ordinairement hauts, les murs tapissés d'immenses ta-bleaux. Chaque porte était ouvragée. Le manoir était plus impressionnant qu'accueillant, mais une foule de détails captivaient l'œil.

Alban traversa un couloir avec plus de portes qu'il n'avait le temps d'en compter. Le domestique ouvrit la dernière et recula pour laisser passer Alban. Il pénétra dans une pièce où trônait un lit gigantesque, rien à voir avec les simples paillasses où il avait l'habitude de dormir. Une fenêtre de bonne dimension donnait sur la forêt déjà à demi envahie par la nuit. Quand Alban se retourna, le domestique avait disparu et la porte s'était refermée derrière lui.

Une feuille de papier gisait sur le seuil. Alban lut :

Cher monsieur,

Vous n'êtes pas prisonnier, mais je vous saurais gré de ne pas déambuler dans le manoir. Reposez-vous et soyez en paix. Si la faim vous tenaille ou si vous avez besoin d'assistance, glissez cette feuille sous votre porte et un domestique viendra.

Bonne nuit,
William Grant

William. Il avait donc un nom... Et il rédigeait, en français, des phrases qui semblaient sorties tout droit d'un livre ! Alban était ébranlé par toutes ces découvertes. En inspectant mieux la pièce, il trouva un bac rempli d'eau froide et s'installa dans un fauteuil confortable pour faire tremper sa cheville endolorie. Au bout d'un moment, il s'aperçut qu'il frissonnait dans ses vêtements trempés. Alors il se dévêtit, se glissa sous les couvertures du lit et tomba presque aussitôt endormi.

À son réveil, Alban entendit la porte de sa chambre se refermer. Le jour était déjà plein. Les feuilles bruissaient dans la forêt derrière. Alban trouva des vêtements secs au pied du lit et un plateau chargé de nourriture exquise sur une table basse tout près. Il but du thé brûlant très parfumé et dévora des petits pains dorés et moelleux comme il n'en avait jamais goûté. Il attaqua ensuite un succulent plat de viandes : du porc, de la volaille et une pièce de gibier qui ne lui rappelait rien de connu. Il mangea encore des œufs brouillés accompagnés d'oignons brunis et délicieusement sucrés. Pour finir, il but lentement un verre de liqueur de baies sauvages en lisant le message glissé sous son verre.

Appréciez ce repas avant de repartir. Faites bonne route, mais ne remettez jamais les pieds ici et ne révélez à personne où vous avez dormi. Mon père n'est pas un mauvais homme, cependant il a parfois des gestes regrettables. S'il savait que vous êtes venu, sa colère serait terrible. Il pourrait vous importuner jusque dans l'anse à Voilier.

Une vague d'angoisse étreignit Alban lorsqu'il lut cette dernière phrase. Il jeta encore un regard à la chambre où il avait dormi et quitta les lieux, accablé par l'avertissement.

De retour à l'île Bicquette, Alban raconta qu'il avait été déporté, qu'il s'était blessé et qu'il avait dormi dans un fourré avant de revenir. Le fils Rioux ne remarqua pas qu'Alban portait des vêtements différents de la veille.

Quelques jours plus tard, Maybel rendit visite à son père. Alban contempla sa fille alors qu'elle courait vers lui, ses longs cheveux couleur de miel flottant autour de son si joli visage. Ses joues rosies par le vent mettaient en valeur l'étrange couleur de ses yeux.

Maybel poussa des exclamations de joie en découvrant les milliers d'eiders couvant leurs œufs sur l'île en ce mois de mai. De longues bandes de rivage disparaissaient sous un tapis de plumes.

— Tu reviendras quand les coquilles auront craqué, dit Alban. L'ancien gardien dit que les petits sont tellement peu farouches qu'on peut les flatter.

Alban s'assit sur une grosse pierre et Maybel le rejoignit. Elle perçut aussitôt l'émotion de son père.

— Ici, je suis comme au paradis, reprit Alban. La tête dans les étoiles, les pieds dans les plumes. C'est bourré d'étoiles filantes et j'ai déjà vu les plus belles aurores boréales qu'un ciel peut dessiner. En sortant du phare, je tombe sur toutes ces mères dans cet éparpillement de plumes. Cette île, c'est comme une prière vivante !

Alban éclata d'un rire bref.

— Avoue que le curé s'étoufferait s'il m'entendait.

Maybel s'efforça de sourire. Elle devinait que son père avait d'autres choses à dire. Il lui raconta sa rencontre avec William Grant, sa nuit au manoir et l'avertissement qui l'inquiétait tant. Maybel entreprit aussitôt de le rassurer.

— C'est un vieil Écossais, papa, pas un ogre ! Et puis, il n'y a que nous deux qui savons que tu es allé là, non ? On le dira à Béatrice et puis au Quêteux, mais c'est tout. De quoi as-tu peur? Qu'il se venge sur moi pendant ton absence? Qu'il m'emprisonne avec son fils?

Le visage de Maybel s'éclaira.

— Je voudrais bien! dit-elle. Ça fait tellement longtemps que je rêve de le voir. Le fameux fils masqué! La «face pourrie», comme disent les méchantes langues. J'aimerais beaucoup lui parler. Il habite tout près... On est voisins! Penses-y! Et pourtant, on dirait qu'il vit sur une autre planète. Personne ne sait ce qui lui est arrivé, personne ne sait comment il est vraiment. Un trou, tu disais? À la place d'une joue! C'est terrible, non? Je me demande ce qu'il ressent. À quoi il pense. Ce qu'il fait de ses journées...

La réaction de Maybel alarma Alban.

— L'Écossais est dangereux, ma fille. Rappelle-toi les pièges à ours. J'avoue que le fils est peut-être moins mauvais que ce qu'on raconte, mais à mon avis le père est fou. Et on ne sait pas jusqu'où il peut dérailler.

Alban scrutait le ciel déjà sombre, balayé par les lumières du phare.

— J'aime pas l'idée d'être ici alors que l'Écossais pourrait rôder dans l'anse. Je mourrais s'il t'arrivait quelque chose...

Maybel s'agenouilla devant son père et prit ses mains dans les siennes.

— Arrête tout de suite de t'inquiéter! Écoute-moi: il ne va rien m'arriver. Tu entends? Je ne suis pas en danger. Je le sais. Je ne peux pas t'expliquer... mais j'en suis sûre. Au village, il y en a qui disent que j'ai du sang de sorcière. Comme Béatrice. Ils ont peut-être un peu raison. Il y a des choses que je sais. Dans mon cœur, dans mon ventre...

Alban découvrait que sa fille avait vieilli et il avait confiance en cette petite femme encore plus belle que l'épouse qu'il avait perdue. Maybel semblait avoir hérité de sa tante une détermination et une intensité presque magiques. Elle avait autre chose qui lui était propre. Maybel respirait la joie. Alban avait tout fait pour qu'il en soit ainsi. Et voilà qu'il découvrait que cette joie lui servait d'armure. Comme si cette propension au bonheur la protégeait et décuplait ses forces.

Alban quitta le phare en octobre pour constater que la petite tribu de l'anse s'était bien débrouillée sans lui. Il neigea avant la Toussaint et tout le monde fit boucherie par grand froid. Cet automne-là, le fils Rioux ne se contenta pas de dévorer Maybel des yeux. Il chercha à l'impression-ner avec ses exploits. Ainsi se vanta-t-il d'avoir trouvé un cadavre attaché à un flotteur au large de l'île Bicquette.

— C'était assez épeurant à voir, raconta-t-il. Il ne restait plus que des coquillages collés aux os. La mer avait mangé le reste. Mais ça ne m'a pas ébranlé une miette. C'est moi qui ai ramené le corps pendant que M. Collin étudiait son ciel.

Il avait parlé d'Alban avec condescendance. Béatrice et Maybel échangèrent un regard. Plus tard, Maybel confia à sa tante que les manèges d'Eugène Rioux pour se faire valoir l'exaspéraient.

— C'est trop idiot!

Béatrice avait ri, fière de découvrir que sa nièce lui ressemblait.

— Mais tous les hommes ne sont pas idiots, ma belle, avait expliqué Béatrice d'une voix grave. Un jour, tu risques d'en rencontrer un qui va te virer à l'envers. Laisse-le faire. T'inquiète pas si t'as l'impression d'être perdue ou malade, avec en même temps le cœur qui chante. C'est comme ça! Quand ça t'arrivera, aie confiance. Et prie le bon Dieu pour qu'il garde ton homme vivant.

Maybel sentit, dans ces quelques mots, le poids de longues années de peine refoulée. Celle qu'au village on appelait la sorcière avait le cœur drôlement bien accroché. Et elle avait aimé, de tout son être, passionnément, l'homme dont on la soupçonnait d'avoir voulu se débarrasser. Béatrice n'avait jamais parlé de ces racontars. Elle s'était simplement retirée du monde en s'employant parfois à nourrir la légende. Béatrice la sorcière? Soit! Ils pouvaient tous penser à leur guise à condition de se tenir à distance.

Un jour, alors que le charron l'asticotait parce qu'elle ne se mêlait jamais à personne, Béatrice lui avait répondu sèchement :

— L'ignorance, c'est contagieux. Et moi, je tiens à ma santé. C'est pour ça que je reste loin du clocher de Sainte-Cécile.

C'est à la fin de cet hiver-là que j'ai connu Maybel. Elle allait bientôt avoir seize ans. C'est elle qui m'a presque tout raconté. C'est sa vision qui a façonné la mienne. D'autres paroles se sont unies à la sienne pour me permettre de reconstituer cette histoire et peut-être bien qu'au fil des ans, j'ai moi-même comblé quelques trous. Il faut dire que le magasin général où je travaillais était bien plus qu'un commerce. C'était le lieu de tous les récits.

Le dimanche, après la grand-messe, Alban et Maybel s'arrêtaient au magasin, comme tant d'autres. Dès la première fois, j'eus l'idée d'emmener Maybel voir ma chambre dans notre logis au-dessus du magasin. Là, nous avions parlé, comme si nous étions amies depuis toujours, jusqu'à ce que maman vienne nous avertir qu'Alban était prêt à repartir. Maman comprit immédiatement que Maybel me faisait du bien. Le dimanche suivant, elle invita Alban et sa fille à partager notre repas.

— C'est pas deux bouches de plus qui vont changer grand-chose, dit-elle en souriant largement.

Au début, Alban se montra réticent. À force de vivre isolé, sur l'île ou dans l'anse, il avait perdu l'habitude des conversations. Mon père se chargea de lui dégourdir la langue en lui posant des questions sur l'île Bicquette, le pilotage et sa vie quotidienne dans l'anse. Après quelques bons dimanches au cours desquels mon père se prit d'affection pour Alban, le gardien de phare regagna son île pour la saison de navigation et Maybel continua de venir seule.

Entre ces visites, je travaillais au magasin et, pendant mes temps libres, je descendais souvent jusqu'à la mer. La première fois que je vis la batture découverte à marée basse, j'eus l'impression d'un mirage. D'une marée à l'autre, le paysage se métamorphosait. L'horizon reculait et des îles surgissaient soudain, en même temps qu'une multitude de petits rochers. Un jour, j'ai cru avoir la berlue : on aurait dit que les rochers bougeaient ! Des loups-marins y étaient perchés, heureux comme des rois à se prélasser au soleil en attendant la prochaine marée. Il fallait regarder attentivement pour les voir soudain remuer tant leur pelage se confondait avec le roc.

En avril, j'assistai à une vraie tempête. Les gens disaient que les jours où la mer est vraiment enragée, les vagues atteignent la taille d'un homme et elles sont assez puissantes pour faire rouler les pierres sur la grève. Je découvris que c'était vrai.

Quelques jours plus tard, le charron raconta une bien étrange histoire. Les roues de sa carriole s'étant enfoncées dans le chemin, tant et tant qu'il n'arrivait plus à les déprendre, il avait grimpé sur le sentier de la montagne Ronde, un peu à l'ouest du marais salé, pour voir si on venait. C'est là qu'il avait aperçu le fils de l'Écossais parmi les broussailles.

— Et devinez ce qu'il faisait, l'animal? demanda-t-il aux quelques clients, tous très attentifs à ses dires. Il attrapait des rats!

La mère Sigouin glapit de dégoût. Isaac Turcotte la prit à témoin.

— Oui, madame! Est-ce que c'est pas assez dégoûtant? Une bête, je vous dis. C'est pas un homme mais un animal. Et sauvage!

La nouvelle fit son chemin, mais plusieurs se moquèrent de Turcotte en invoquant encore une fois les pouvoirs du vin de cerise et de la liqueur de gadelle de sa femme. La semaine suivante, un pêcheur rapporta pourtant une histoire semblable, à la seule différence que la scène s'était déroulée à la pointe aux Épinettes, cette fois. Le pauvre avait été déporté dans l'anse à l'Orignal et il avait cherché refuge sous les arbres. Le soir était tombé, les lucioles lançaient déjà leurs étincelles, quand l'homme avait entendu du bruit... La suite était pareille. Le fils de l'Écossais attrapait des rongeurs, leur fracassait le crâne contre une pierre et les fourrait dans un sac.

À partir de ce jour, le nom resta: au village, désormais, on l'appela la Bête.

Je savais que Maybel caressait depuis longtemps le projet de l'approcher. Ces informations ne contribuèrent qu'à fouetter son désir. Elle avait gardé une curiosité d'enfant et une propension fabuleuse pour les jeux d'imagination. Toutes ces années, depuis le débarquement d'Oswald Grant avec son fils et le cadavre de sa femme, elle leur avait inventé un passé, des pulsions, des rêves. Maintenant, elle voulait savoir. Que se passait-il dans l'esprit et le cœur de ce jeune homme au visage ravagé qui était malgré tout son voisin et n'était sans doute que de peu d'années son aîné ?

Il y avait plus. Maybel, comme sa tante, n'avait rien d'une sorcière, mais elle était un peu fée. Elle pressentait les mystères, devinait des secrets. C'est un peu ce qui l'attirait vers le manoir de l'anse aux Bouleaux. Elle s'était souvent imaginée poussant une des portes dont Alban lui avait parlé. Que dissimulaient-elles ? Dans ses rêves, elle revoyait souvent le renard au regard si triste, prisonnier de l'enclos.

J'espérais encore que mon amie abandonnerait son projet insensé lorsqu'un matin, elle me réveilla en lançant de petits cailloux à ma fenêtre. Le jour commençait à peine à se lever. Toute la maisonnée dormait. Elle m'attendait, les yeux hagards, les cheveux en bataille, le manteau de travers. Je courus à la cuisine et la fis entrer.

Maybel se jeta aussitôt dans mes bras. J'avais l'habitude de ses débordements car elle était d'une intensité renversante. Pourtant, je ne l'avais encore jamais vue dans un état pareil. Elle finit par s'asseoir, se releva aussitôt pour approcher sa chaise de la mienne et prit mes mains dans les siennes.

— Florence... Mon amie, ma sœur... Écoute-moi, je t'en supplie.

Ce ton solennel m'impressionna. Je tentai quand même de la calmer avec des paroles sages et sensées.

— Tout doux... Respire un peu. Oui... Là, c'est mieux. Maintenant, dis-moi ce qui t'arrive...

— Je l'ai vue, Florence ! éclata-t-elle. La Bête !

Elle avait attendu que la lune soit pleine et le ciel dégagé. Elle avait glissé en canot jusqu'à la baie des Porcs-Épics avec l'intention d'escalader la montagne Ronde pour voir si le fils de l'Écossais y serait. Sinon, elle se proposait de fouiller la forêt de la pointe aux Épinettes et même de pousser jusqu'au cap Enragé. Tant pis pour les menaces d'Oswald Grant !

Elle avait emprunté un vieux sentier tortueux semé de petites roches couleur de suie qui craquaient sous ses pas comme des coquilles d'œufs. C'était un ancien chemin de coupe, délaissé depuis qu'un étranger s'était élancé du sommet. On disait le lieu maléfique. Des hommes avaient rapporté que des vapeurs inquiétantes émanaient du sol et qu'une fois au sommet, on risquait d'être pris par une étrange ivresse. C'est ce qui serait arrivé au voyageur retrouvé sur la plage, bras et jambes écartés, tous ses os broyés. Une fois au sommet, étourdi par des humeurs folles, l'homme se serait cru capable de voler.

Maybel ne se laissait pas intimider par ces légendes.

— J'ai quitté le sentier pour aller plus vite, raconta-t-elle, le souffle court. Je suis montée tout droit, en m'accrochant aux branches dans le gros à-pic. C'est là que je l'ai vu.

Il se tenait debout sur la crête, haut et massif dans la nuit bleue. Le vent faisait danser l'écharpe à son cou.

— J'ai vu le fils de l'Écossais se pencher, puis se relever, poursuivit-elle. Un rat pendait au bout de son bras. L'animal gigotait encore. J'ai remarqué que la main du fils était protégée par un morceau de cuir. Il s'est penché à nouveau pour fracasser le rat contre le sol. Je me rappelle le bruit...

Maybel frissonna à ce souvenir. Elle semblait extrêmement agitée.

— J'ai crié, admit-elle d'une petite voix navrée. J'avais peur...

William Grant s'arrêta, le bras encore tendu, et il se tourna vers Maybel. Elle vit alors qu'il portait un masque et que des éclairs fusaient de ses yeux.

— Disparaissez ! rugit-il.

Maybel faillit obéir. Elle était morte de frayeur et se maudissait déjà d'être venue. Mais en même temps, quelque part en elle, une petite voix lui commandait de rester et de défier le jeune homme.

Il parut surpris de constater qu'elle ne bougeait pas. Il fit un pas vers Maybel et, pour l'effrayer et la forcer à partir, il lança le rat à ses pieds.

— Tenez ! Je vous le laisse ! C'est ce que vous vouliez, n'est-ce pas ? demanda-t-il avec un ricanement mauvais.

Curieusement, Maybel ne fut pas trop ébranlée.

— Il en faisait trop, m'expliqua-t-elle. Il voulait seulement que je décampe. Et ses yeux... Une fois la colère partie, ses yeux le trahissaient. Il n'avait pas le regard d'une bête dangereuse... ou d'un mangeur de rats.

Maybel était captivée par cet homme. Il fit un pas de plus. Elle sentit ses jambes ramollir, mais parvint à garder son regard rivé au sien. Un nuage voila la lune. Le vent s'empara d'un bout d'écharpe. On eût dit un grand oiseau écarlate.

— Vous ne me faites pas peur, attaqua Maybel en le toisant de ses yeux mauves.

Elle enjamba le cadavre du petit rongeur et s'approcha de William Grant en soutenant son regard. Instinctivement, il cacha le bas de son visage de ses mains.

— Votre masque est bien en place. Ne vous inquiétez pas... Je vois rien que vos yeux... et votre écharpe.

— Idiote! Déguerpissez pendant qu'il est encore temps.

Une brusque colère enflamma Maybel. Elle fit un pas de plus. Elle se sentait animée par une formidable énergie.

— Ils ont tort de vous traiter de Bête, au village, lui lança-t-elle d'une voix étonnamment ferme. Les vraies bêtes savent mieux vivre que vous! Je ne sais pas ce que vous faites avec vos rats et je m'en fiche royalement. Vous pouvez aller au diable quant à moi.

Elle braquait encore sur lui ses yeux de lavande.

— C'est dommage que vous ayez la face ravagée... «Pourrie!» qu'ils disent dans votre dos... Le saviez-vous? Mais ce n'est pas une raison pour jouer à l'épouvantail en essayant de faire peur à quelqu'un comme moi qui ne vous voulais pas de mal. C'est méchant!

Maybel était chargée à bloc. L'écharpe vint fouetter le bas du masque. Maybel eut une inspiration.

— Moi aussi, j'ai perdu ma mère, dit-elle. J'avais deux ans... Je ne sais même pas à quoi elle ressemblait. Je n'ai aucun souvenir. La vôtre est partie quand vous étiez juste un peu plus jeune que moi aujourd'hui. Mais vous restez drapé dans votre malheur comme dans cette écharpe qui devait lui appartenir. Non ? Eh bien... Restez dans votre malheur et continuez de jouer à la Bête si ça vous chante. Moi, ça ne m'impressionne pas.

Maybel s'arrêta pour reprendre son souffle. Sa rage était tombée comme un vent d'été. L'issue de cette rencontre l'accablait. Elle allait retourner dans son anse et lui dans ses terres privées. Ils resteraient aussi lointains et étrangers qu'avant. Maybel ajouta sur un ton moins affirmé :

— Si un jour, par grand miracle, ça vous chante d'imiter un peu les humains et de sympathiser comme on fait d'habitude entre voisins, faites-moi signe. Un grand coup d'écharpe, tiens !

La voix de Maybel se brisa sur ces derniers mots. William Grant la contemplait d'un regard douloureux. Maybel se sentit hypnotisée par ces sombres iris où brasillait une mystérieuse lumière. Elle dut faire un effort pour s'arracher à cette vision.

— J'ai dévalé la montagne en courant et je suis venue tout de suite vers toi, Florence, me raconta Maybel. J'avais trop besoin de me confier. Je ne pouvais pas en parler chez moi parce qu'Alban est inquiet depuis que le fils de l'Écossais a laissé entendre que son père pourrait rôder dans l'anse. Je ne pouvais pas attendre...

Elle fit une pause, espérant de moi un sourire signifiant que je lui pardonnais cette visite si matinale. Une pensée brouilla subitement son visage. Elle s'approcha, comme pour me chuchoter un secret.

— Pendant que je courais sur le sentier de la montagne Ronde, j'ai un peu compris ce qui m'a tant frappée dans le regard de mon voisin. Ses yeux sont très beaux, dit-elle en rougissant légèrement. Mais ils me rappellent aussi ceux du renard de l'enclos. C'est le regard d'un prisonnier!

Je n'étais pas sûre de comprendre ce qui bouleversait tant ma belle amie, mais elle faisait pitié à voir. La petite sauterelle de l'anse, comme l'appelait Alban, semblait bien affligée. Alors j'entrepris de la consoler en caressant doucement ses cheveux.

— Je n'aurais pas dû me fâcher, Florence, se lamenta-t-elle pendant que mes mains couraient dans la folle avoine de sa tignasse. J'aurais dû l'apprivoiser. Maintenant, c'est trop tard.

Dans les semaines qui suivirent, je ne vis pas Maybel. Sa tante s'était évanouie en plein champ, une fourche à la main, puis, pendant des jours, elle avait déliré en mouillant sa paillasse de sueur. La fièvre s'était finalement dissipée, mais elle était restée faible et son estomac se rebellait chaque fois qu'elle tentait de s'alimenter.

Béatrice resta alitée deux semaines et il en fallut deux autres pour qu'elle recouvre sa vaillance. Maybel se dépensa beaucoup pour soigner sa tante, faire le train, préparer les repas du Quêteux et de l'engagé et entretenir le potager. Dès qu'elle avait un moment de répit, elle courait aider les hommes aux champs, comme l'aurait fait Béatrice. Pendant deux semaines, elle consacra presque tous ses après-midi à faner le foin qui devait bien sécher avant d'être engrangé. Or le vent du nord-est souffla sans arrêt cet été-là, charriant avec lui de grosses averses. Il fallait sans cesse tout recommencer. Tourner, retourner, amasser et étendre de nouveau. Fermiers et engagés travaillaient de la barre du jour jusqu'aux étoiles.

Quelques semaines après sa rencontre avec le fils de l'Écossais au sommet de la montagne Ronde, Maybel me fit parvenir un message par le fondeur de cuillers qui arrivait de Saint-Fabien en longeant la grève. Il s'était arrêté, comme de coutume, dans l'anse à Voilier.

Ma douce Florence,

Ma tante prend du mieux. J'ai hâte de te revoir. J'ai des mains d'homme, maintenant : enflées, grafignées, gercées, avec tout plein de petits coussins durs là où j'ai trop forcé. Mais j'haïs pas ça. Je ferais peut-être une bonne fermière ! Les champs sentent bon le trèfle et les framboises.

Je pense à toi souvent,

Maybel

Dès qu'elle le put, Béatrice offrit un congé à Maybel en la chargeant d'aller acheter du sel, de la mélasse et du froment. Elle savait que sa nièce se ferait une joie de venir bavarder avec moi. Mais, ce jour-là, je ne vis pas l'ombre de mon amie et Béatrice dut attendre à une autre fois pour le sel, la mélasse et le froment.

Maybel avait couru jusqu'à la grève pour détacher son canot. La mer était calme, en moins d'une heure elle aurait atteint le village. En relevant la tête, sa pagaie sous le bras, elle vit danser un fanion au bout de la pointe aux Épinettes.

— J'ai eu comme un pressentiment, me raconta-t-elle plus tard. L'impression que ce bout d'étoffe flottait pour moi. Au lieu de m'aligner sur le cap Enragé, j'ai fait le détour par la pointe aux Épinettes.

À mesure qu'elle approchait, son intuition se mua en certitude. L'écharpe rouge était accrochée à une branche. Maybel accosta.

Il était là. Avec son masque de cuir, sa crinière au vent et son regard obsédant.

— Ça fait trois jours que j'attends, grommela-t-il en défaisant le nœud de son écharpe.

Maybel jongla un peu avec ces quelques mots. Qu'avait-il attendu trois jours durant ? Soudain, son visage s'illumina et j'imagine bien que le fils de l'Écossais en fut ébloui. C'est ce qui arrivait quand Maybel souriait sans avertir.

— Monsieur mon voisin ! s'exclama-t-elle, tout à sa joie de découvrir que c'est elle qu'il avait attendue.

William Grant resta figé. Il fixait sa jeune voisine comme si c'était un feu follet. Après des jours de doute et de réflexion, il avait résolu de prouver à Maybel qu'il n'était pas un animal sauvage. Il ne pouvait supporter l'idée qu'elle le juge si mal. Sans cœur, sans tête, sans âme. Il fallait qu'elle sache qu'il n'était pas incapable de frayer avec les humains, même s'il ne le faisait plus. Après de longues hésitations, il avait décidé de lui révéler un peu de lui-même.

Pendant ces trois jours où il l'avait attendue, du lever au coucher du soleil, sans se soucier des marées, il s'était préparé à diverses réactions. La fille du gardien de l'île Bicquette risquait d'être surprise ou inquiète en l'apercevant. Peut-être aussi ne viendrait-elle jamais, ou peut-être fuirait-elle. Mais en aucun cas il ne s'était préparé à l'explosion de gaieté de sa jeune voisine.

Maybel l'observait, enchantée par la tournure des événements, captivée par ses yeux qu'elle trouvait si beaux. Aussi sombres qu'une nuit sans lune, mais traversés d'ombres et de lumières. Des yeux noirs mouvants. Comme la mer parfois. Sa bouche aux lèvres pleines ne portait qu'une marque, un peu comme une morsure, dans un coin. Pour le reste, on ne pouvait explorer trop longtemps le masque de cuir fin sans que l'imagination galope en soulevant des images monstrueuses.

Il dut deviner ses pensées, habitué aux regards troublés ou épouvantés posés sur son visage.

— Si vous ne cessez de m'examiner ainsi, j'enlève le masque ! menaça-t-il d'une voix dure.

Maybel baissa la tête, honteuse, mais elle reprit vite son aplomb.

— C'est de ne pas savoir qui est si effrayant, expliqua-t-elle gravement. On imagine forcément le pire.

Le regard du jeune homme s'embruma. Il semblait étreint par une tristesse infinie. Maybel fut longtemps hantée par le souvenir de son voisin en cet instant où il semblait vouloir dire que le pire était juste.

— Mais vos yeux sont vraiment très beaux, souffla Maybel, elle-même surprise de son audace.

William Grant resta un moment immobile, totalement abasourdi par le compliment. Puis il secoua la tête, comme pour chasser ces dernières paroles. Maybel remarqua que ses cheveux, longs et emmêlés, n'étaient ni blonds, ni bruns, mais les deux à la fois. Fauves.

— Venez ! dit-il, bourru. C'est plus loin... Je voulais vous montrer...

Ils longèrent la grève de l'anse aux Bouleaux. Il avançait à grands pas, sans se rendre compte que Maybel, qui était beaucoup plus petite, devait courir derrière lui. Lorsqu'ils aperçurent le manoir, il eut la délicatesse de rassurer sa compagne.

— Mon père est parti, vous n'avez rien à craindre, et les domestiques me sont fidèles.

Il avait prononcé ces mots sans suffisance, énonçant simplement un fait.

— Vous parlez comme dans les livres, remarqua Maybel.

Il ne dit rien, mais une lueur de gaieté dansa au fond du regard charbonneux.

Ils traversèrent les terres de l'Écossais pour s'arrêter devant l'île aux Plumes. La flèche de sable qui y menait à

marée basse était dégagée, mais la mer montait dangereusement.

— Si vous me suivez jusqu'à cette île, il faudra ensuite
attendre que la marée se retire, prévint-il sèchement.

William Grant ne savait pas encore combien Maybel
était curieuse. Rien n'aurait pu l'empêcher d'avancer.

Quelques cormorans abandonnèrent leur refuge sur
des crans rocheux alors que Maybel et son guide emprun-
taient la route de sable pour atteindre la plage de l'île. De
là, ils s'engagèrent sur un étroit sentier qui serpentait
entre les arbres jusqu'à un petit plateau partiellement
dégagé, entouré de bouleaux. Le jeune homme s'y était
construit une cabane. Maybel comprit pourquoi des habitants avaient parfois aperçu un trait de fumée montant de
l'île aux Plumes.

En franchissant la porte, Maybel eut un mouvement
de recul. La pièce était suffisamment éclairée pour qu'elle
distingue le petit tas d'os près du poêle de fortune. Devant
l'expression ahurie de Maybel, le fils de l'Écossais se sentit forcé d'expliquer.

— Il m'arrive de trouver un animal mort ou trop mal en
point pour être soigné. Je garde la carcasse et je fais
bouillir les os. Lorsqu'ils sont secs, je reconstruis le sque-
lette.

Maybel n'y comprenait toujours rien. Avec un brin d'im-
patience, il poursuivit son explication.

— Ça m'apprend comment les pattes d'un renard ou
d'un lièvre se replient et comment vole une gélinotte. Après,

j'ai plus de facilité à immobiliser une aile ou fixer une attelle.

Il fouilla dans un sac et en extirpa le cadavre d'un rongeur. Puis, sans se soucier de la réaction de Maybel, il sortit en emportant la bête morte.

Lorsque Maybel le rejoignit dehors, il se tenait debout bien droit au milieu de l'éclaircie, un bras tendu vers l'horizon. Sa main offerte était gainée de cuir, comme cette fois où Maybel l'avait vu chasser le rat.

— Ça peut prendre un moment, avertit-il.

Des mouettes survolèrent l'île. Puis une nuée de goélands. William Grant attendait. Il lança soudain un curieux appel.

— Hou... hou. Hou... hou. Hou... hou.

Il attendit, répéta les cris, patienta encore. Maybel gardait les yeux rivés sur lui. Elle remarqua bientôt que ses lèvres s'étiraient, que le cuir du masque se tendait. À croire qu'il souriait. Au même moment, elle perçut le froissement d'ailes. Un oiseau de proie apparut dans le ciel argenté. Il planait juste au-dessus d'eux, décrivant de larges cercles en inspectant les lieux.

Instinctivement, Maybel s'éloigna de quelques pas. L'oiseau fondit sur le jeune homme.

Maybel avait craint que l'oiseau n'attaque son compagnon. Au lieu, il se posa sur la main gainée. C'était un grand duc, un magnifique rapace, encore trop petit pour être mature. Maybel contempla les longues griffes acérées et crochues, le bec redoutable, prêt à broyer sa proie, et les yeux jaunes, liquides.

William Grant observait l'oiseau avec attendrissement. Il ramena vers lui la main qui servait de perchoir. Puis, lentement, le masque de cuir s'approcha du manteau de plume, qu'il creusa doucement. L'oiseau inclina un peu la tête et son bec disparut dans la crinière du jeune homme. Maybel n'osait plus respirer.

Ils restèrent un temps immobiles. William Grant offrit ensuite le petit rongeur à l'oiseau, qui l'avala d'une traite. Le grand duc ne semblait pas pressé de fuir. Il attendit que le fils de l'Écossais lève le bras, dans un geste qui paraissait destiné à le pousser vers le ciel. Alors seulement, il ouvrit les ailes et s'élança.

— Voilà ! dit simplement William Grant en se tournant vers Maybel.

Ce qu'il vit le renversa. Peut-être même que ce bref instant changea le cours des événements.

Maybel pleurait. Elle était bouleversée. Elle n'était pas sûre de comprendre pourquoi, mais des larmes roulaient sur ses joues. C'était peut-être à cause de cet instant où le cuir fin du masque avait touché la forêt de plumes sombres. Ou lorsque le bec crochu s'était enfoui dans la crinière fauve. Ce spectacle lui avait paru infiniment grave et beau. Il semblait appartenir à un monde fantastique, hautement surprenant, dont seul le fils de l'Écossais connaissait le fonctionnement et les lois.

Ils ne dirent rien. La mer était haute. En attendant qu'elle se retire, il lui fit visiter son île. Les canards nicheurs étaient retournés à la mer, mais le vent n'avait pas dispersé toutes les plumes dans les nids abandonnés. Parfois, le jeune homme se penchait et, du bout des doigts, effleurait un nuage de duvet. Lorsqu'ils pénétrèrent dans la forêt, Maybel parla de son père et de l'île Bicquette dont il n'était pas encore revenu. Elle était fière de dire que là-bas, c'est par milliers qu'on comptait les nids des canards à duvet.

— On dirait une immense couverture grouillante à la grandeur de l'île ! Ça remue sans arrêt et il y a toujours des bouts d'ailes et de petits becs qui dépassent un peu partout.

Maybel avait cette capacité de parler aux autres comme à elle-même, s'exprimant à haute voix sans se demander comment ses paroles seraient reçues. Le fils de l'Écossais marchait devant, le pas toujours aussi vif, mais elle avait réussi à s'y habituer.

— Ce qui me chicote, dit-elle soudain, c'est l'allure des femelles. Elles sont si ternes... c'est décevant. Quand les mâles arrivent... là, c'est beau ! Je trouve ça un peu triste que le bon Dieu se soit tant forcé pour eux et si peu pour les femelles...

Il s'était arrêté pour l'écouter. Elle leva les yeux vers lui, inquiète tout à coup de ce qu'il penserait de son babillage. Mais il l'observait avec bienveillance, attentif à sa réflexion.

— Les mâles épatent, dit-il, toujours grave. Nos yeux sont immédiatement attirés par leur plumage. Ces grandes taches noires qui contrastent avec le blanc éclatant... et cette parure à leur cou... bien sûr que c'est beau. Mais le plumage des femelles est plus...

Le vent agita les feuilles des bouleaux pendant que le fils de l'Écossais cherchait le mot juste.

— Émouvant! Le bon Dieu, comme vous dites, leur a donné un habit de camouflage qui leur permet de se perdre dans la pierre et le sable. Si elles attiraient l'œil, leurs petits ne vivraient pas longtemps. Déjà que les goélands dévorent la moitié des œufs et pourtant, les femelles s'affament à faire le guet.

Maybel dut paraître surprise.

— Votre père ne vous a pas expliqué que pendant tout le mois de la couvée, les femelles arrêtent de manger? Par sacrifice. Parce qu'elles savent que les goélands, noirs ou argentés, sont sans pitié. Ils guettent sans cesse dans l'espoir qu'une femelle quittera enfin son nid pour aller se gaver de moules bleues. Ils n'attendent que ça pour attaquer. Alors les femelles se privent, elles perdent facilement la moitié de leur poids. Elles se lèvent uniquement pour boire un peu quand les goélands sont occupés ailleurs, et si le ciel est trop rempli d'oiseaux gourmands, elles se passent d'eau également.

À l'île Bicquette, Maybel avait vu des femelles seules dans leur nid désert alors que toutes les autres avaient gagné la mer avec les canetons.

— Celles qui restent... après... quand toutes les autres sont parties, c'est parce qu'elles n'ont pas assez bu? demanda-t-elle.

— Oui. Elles meurent dans leur nid. Leurs petits réussissent souvent à atteindre la mer et alors ils sont sauvés. D'autres femelles s'en occupent.

Ils avancèrent à nouveau en silence. Lorsque Maybel comprit qu'ils se dirigeaient vers la grève, elle suggéra qu'ils escaladent les falaises au bout de l'île. Elle expliqua à son compagnon les règles d'un jeu qu'elle s'était inventé.

— Il faut grimper jusqu'au sommet d'une montagne qui donne sur des falaises ou sur une paroi très à pic. Une fois en haut, on avance le plus loin possible, en gardant le corps bien droit. Là, il faut pencher la tête et regarder le vide. Droit dans les yeux! C'est une manière de parler… Quand j'ai la tête au-dessus du vide, mes mains se mouillent et j'ai le cœur qui tremble. Je meurs de peur… mais j'aime ça! C'est dur à expliquer. Je me sens tellement forte que c'est excitant. J'ai l'impression d'être… monstrueusement vivante!

Maybel se mordilla la lèvre. Elle avait, comme toujours, des façons étonnantes de dire et de décrire. William Grant ralentit un peu et Maybel l'entendit répéter tout bas : « monstrueusement vivante ».

Elle insista.

— Venez! On a le temps…

Il l'ignora, poursuivant plutôt sa route vers le rivage. La mer avait commencé à déserter la plage. Ils réussirent à déterrer des palourdes qu'il fit ouvrir sur un feu de grève. Là où ils s'étaient installés, ceux qui naviguaient au nord de l'île ne pouvaient les voir. Maybel dévora plus que sa part de coquillages. Puis ils s'allongèrent sur le dos, à bonne distance l'un de l'autre, pour voir les nuages défiler dans le ciel. Maybel adorait y reconnaître des formes et surveiller les métamorphoses alors que les nuages s'effilochaient pour renaître autrement.

— Regardez! s'écria-t-elle soudain, fière de sa découverte. Là-bas... des lions galopent. Et derrière eux, de grands chevaux perdent leurs ailes.

Maybel se tourna vers son compagnon. Les cordons du masque avaient dû se détendre. Le cuir avait glissé un peu, révélant le début d'un cratère au milieu du nez. Elle détourna promptement la tête.

Le sommet des montagnes était rose lorsqu'il la reconduisit à la pointe aux Épinettes. Depuis la flèche de sable de l'île, ils n'avaient pas échangé une parole. Il portait toujours l'écharpe rouge enroulée à son cou.

— Je vais leur expliquer pour les rats, promit Maybel avant de repartir.

— Je vous le défends! s'écria-t-il, horrifié par cette perspective.

— Mais il le faut! Sinon ils vont continuer à parler de vous comme d'une bête. Ils comprendraient... Même que je suis sûre qu'ils seraient pas mal impressionnés par ce que vous faites...

Il s'approcha. La peur dilatait ses prunelles. Encore une fois, Maybel se sentit dépassée.

— D'accord. Je ne dirai rien, murmura-t-elle.

Elle aurait dû détacher sa barque et repartir. Mais quelque chose la retenait. Elle avait du mal à digérer sa promesse. Ne rien dire... c'était trop idiot.

— N'empêche que c'est fou de se cacher comme ça, lança-t-elle finalement. Vous n'avez pas la lèpre, quand *même ! Ce qu'il y a sous votre masque, ce n'est pas conta-gieux…*

Il avait perçu son hésitation. Maybel ressentit une bouffée de honte, mais l'indignation prit rapidement le dessus.

— Tout ça, c'est la faute de l'Écossais ! explosa-t-elle. Ce n'est pas un père que vous avez, c'est un gardien de prison. Ça fait des années qu'il vous garde caché. Pas vrai ? Ce n'est pas normal. Que vous ayez la face trouée ou pas, ça ne change rien. Il n'a pas le droit de faire ça. Mais à votre âge, ça serait le temps de vous dégrouiller un peu. Sortez de votre prison ! Il n'y a pas que l'île aux Plumes. Il y a un village derrière. Et d'autres plus loin. Il y a toutes sortes de gens là-bas, c'est sûr… mais on en trouve qui sont… merveilleux ! J'ai une amie, Florence…

— Partez ! l'interrompit-il d'une voix sourde.

Maybel sentit son pouls s'arrêter.

— Comme si j'avais reçu une décharge en plein ventre, me confia-t-elle plus tard.

Elle le fusilla de ses yeux mauves. Il soutint son regard. Sans le vouloir, sans le savoir, elle avait franchi un couloir secret et poussé une porte défendue. Il était redevenu une créature inquiétante. Fermée. Inaccessible.

Elle poussa son canot dans l'eau, sauta à l'intérieur et se mit à pagayer furieusement. Une fois, seulement, elle se retourna. Il était toujours là, debout sur la plage enva-hie par les mouettes et les goélands. Elle aurait voulu qu'il disparaisse, mais il semblait cloué à la grève.

Alors elle cria :

— Restez-y, dans votre prison! Mourez-y, dans votre prison!

Puis elle fila vers l'anse, sans regarder derrière.

Souvent, dans les mois qui suivirent, Maybel s'accusa d'avoir tout gâché. Elle imaginait qu'en d'autres circonstances William Grant aurait pu devenir son ami.

— Si seulement j'avais su dompter mes ardeurs. Je n'ai pas réfléchi... Je l'ai brusqué. Il n'a pas dû aimer que je parle en mal de son père. En plus, je suis allée dire qu'il avait la face trouée! Quand j'y pense! C'est bien assez pour qu'il soit fâché, non?

Parfois aussi, elle se souvenait des bons moments de sa journée avec le jeune homme.

— Tu aurais dû l'entendre, Florence. Un vrai savant! Il en connaît des choses! Et il parle comme dans les livres. J'aurais aimé pouvoir l'écouter encore...

Je riais.

— Toi? Écouter? Mais tu parles tout le temps! J'ai du mal à imaginer quelqu'un qui placerait plus de trois mots pendant que tu en déballerais cent.

Inévitablement, Maybel parlait des yeux de la Bête. Ce même regard que le renard. Et du masque.

— Je me demande si c'est vraiment aussi horrible qu'on imagine, en dessous... Je me demande ce qu'il ressent et à quoi il pense quand il croise son reflet. Penses-tu qu'il y a des miroirs, au manoir ? Crois-tu qu'il enlève son masque, là-bas ? Le jour où Alban l'a vu, tu sais... je t'ai raconté... quand il était roulé en boule sous des peaux de loups-marins près du parc à renards... Il avait enlevé son masque. Et il gémissait. Peut-être qu'il a mal. Sous le cuir. Peut-être qu'il souffre...

À l'époque, je n'ai pas véritablement saisi ce qui obsédait tant ma belle amie. Et pourtant, quand j'y songe, c'était tellement clair déjà.

Premier hiver
et autres saisons

Au cours de l'hiver qui suivit, François Bouvier prit l'habitude de s'arrêter au magasin plusieurs fois par semaine, même s'il n'avait rien à acheter. Sa peau était restée hâlée par les longs mois en mer. Il avait un rire franc et de l'énergie à revendre. Il n'allait jamais rejoindre les hommes qui jouaient aux dames tout au fond. François Bouvier ne tentait même pas de dissimuler qu'il venait pour moi. Tous le savaient déjà.

Il appréciait son métier de pilote, mais répétait souvent qu'il avait besoin de voir du pays.

— J'aime la route, disait-il. Les chemins de terre comme les chemins d'eau et aussi les chemins de fer...

Un jour, il m'apprit qu'il partait pour le chantier.

— La maison chez nous est bien équipée, dit-il. Tout le bois d'hiver est coupé. Et mon père est vaillant. Je n'ai pas d'inquiétude à partir. Je serai seulement triste de ne plus vous voir, ajouta-t-il en rougissant.

Depuis plusieurs saisons déjà, il économisait dans le but d'aller vers l'ouest. Afin de gagner plus d'argent, il abattrait des arbres jusqu'au printemps.

— Il y a beaucoup à apprendre et beaucoup à faire, là-bas, vers l'autre mer, racontait-il avec conviction. La Compagnie de la Baie d'Hudson recrute. Un jour, un chemin de fer va relier les deux océans. Pensez-y, mademoiselle Florence. Ce ne serait pas merveilleux de participer à cette grande aventure ?

Ce que je trouvais surtout beau, c'était de le voir, lui. Et de l'écouter. François Bouvier était bourré d'idées et son enthousiasme était contagieux. Lorsqu'il parlait de projets et de chemins nouveaux, j'avais envie de le suivre jusqu'au bout du monde.

Il n'avait pas clairement discuté d'avenir avec moi, mais c'était tout comme. Je devinais qu'il attendrait à la fin de la prochaine saison de pilotage pour parler à mon père afin de pouvoir lui montrer qu'il n'avait pas les poches vides. Pour dire vrai, je rêvais d'épouser François Bouvier.

— Pas l'été qui s'en vient mais l'autre. Peut-être... confiai-je à Maybel.

Cette perspective lui arrachait des cris de joie. Elle avait l'âme romantique et n'avait rien perdu de son exubérance. Elle voulait tout savoir de mes sentiments et je dois admettre que cet hiver-là, Maybel m'écouta souvent.

J'étais déjà amoureuse de François Bouvier. Mais, alors que Maybel aurait voulu que cet amour me transporte et m'enchante, j'étais souvent envahie par le doute. J'avais peur. Pas de François Bouvier, mais de moi. Aimer me semblait déjà une aventure tellement audacieuse et voilà qu'il fallait jurer d'aimer toujours. Pour le meilleur et pour le pire. Dans la joie comme dans la douleur. Deux fois déjà, j'avais entendu les vœux qu'échangent des époux.

Un jour, bientôt peut-être, j'aurais à promettre devant Dieu d'aimer François Bouvier jusqu'à ce que la mort nous sépare. La gravité du serment m'affolait.

Un dimanche, alors que nous étions installées sur mon lit, comme d'habitude, Maybel suggéra, sûrement pour me faire réagir, que je n'étais pas amoureuse, tout simplement.

— Bien sûr que je l'aime! m'écriai-je, véhémente. Mais comment savoir, hors de tout doute, que j'ai le cœur assez bon, assez fort, pour l'aimer toujours, quoi qu'il advienne? Même vieux. Même malade. Même loin. Tu sais comme moi qu'il a la bougeotte, ce qui fait que ça ne sera peut-être pas toujours facile. Tu me vois, avec ma marmaille, et ce grand diable qui veut découvrir du pays? Parfois aussi, je pense au fils de l'Écossais. Si, du jour au lendemain, François Bouvier était défiguré, s'il m'arrivait d'un de ses voyages la face trouée, ravagée, «pourrie» comme ils disent, est-ce que je l'aimerais tout autant?

Maybel buvait mes paroles. Mes réflexions sur l'amour la touchaient profondément. Sans compter que j'avais parlé de William Grant...

— Tu vois, ma belle, j'ai surtout peur de ne pas être à la hauteur. C'est grave d'aimer. On chamboule complète-ment la vie de quelqu'un. J'aime François Bouvier. C'est sûr. Et pas seulement comme un ami! Je le regarde et je fonds. Le soir dans mon lit, cent fois déjà... non, plus encore... j'ai imaginé qu'il s'approchait de moi et que ses lèvres touchaient enfin les miennes. J'ai le cœur qui part en cavale rien que d'y penser. J'aime François Bouvier, Maybel, mais j'ai peur. Si tu savais comme j'ai peur...

Maybel me dit alors ce que j'avais besoin d'entendre. Elle fouilla dans son cœur et usa de son intelligence pour trouver les mots justes, des paroles généreuses et enveloppantes qui apaiseraient enfin les tempêtes dans mon ventre.

— Ma mère à moi n'a pas été capable d'aimer mon père plus qu'une saison, dit-elle, la gorge nouée par l'émotion. Je n'ai pas de souvenirs d'elle, mais quelque chose me dit qu'elle ne s'est pas fait trop de soucis avant de dire oui devant l'autel, à deux pas d'ici. Je ne la juge pas. Mais toi, ma douce Florence, c'est différent. Tu ne m'inquiètes pas. M'entends-tu ? Pas une miette ! J'ai idée que tes craintes ont la même taille que ton amour. Et la même qualité. C'est pas de la petite étoffe, ça. C'est quelque chose de rare et de précieux. Je ne pense pas que toutes les femmes se grignotent le cœur comme tu le fais avant de dire oui. Ton oui à toi, ma Florence, il va être tellement fort, tellement beau, tellement... retentissant que le bedeau aura beau se crever à faire sonner les cloches, ton oui va tout enterrer. Attends de voir !

Je pleurais comme une enfant. Maybel prit mes mains dans les siennes. Elle caressa tendrement le dos de ma main droite, la tourna dans sa paume et glissa son index sur les deux grandes lignes qui dessinaient une croix au creux de ma main.

— Tu sais ce qui est écrit, là ? C'est écrit que tu n'as plus à t'inquiéter. Tu l'as déjà bien assez fait. Quoi qu'en pense le curé, personne ne peut jurer de l'avenir. Mais si j'étais François Bouvier et que j'avais le choix entre toutes les femmes de la terre, je n'hésiterais pas deux secondes. Je prendrais Florence Ménard et je bénirais le ciel de m'avoir fait un aussi beau cadeau.

*Elle me couvait d'un regard fervent et il y avait telle-
ment de conviction, tellement de lumière dans son visage,
que je ne pouvais pas m'empêcher d'y croire. Maybel avait
raison depuis le début. J'allais épouser François Bouvier.
Et l'aimer jusqu'à ce que le bon Dieu nous sépare.*

*Maybel ne parlait plus de William Grant. Pourtant, je devi-
nais qu'elle pensait souvent à lui. Pendant l'été, j'étais allée
en bateau jusqu'à l'anse à Voilier. De la ferme d'Alban
Collin, on ne pouvait ignorer le cap Enragé. C'était une
masse d'apparence redoutable. Une forêt dense, coupée
nette par des falaises sombres que la mer grugeait avec
férocité. Maybel n'avait sûrement pas oublié le jeune
homme masqué caché dans l'imposant manoir derrière le
cap.*

*L'Écossais et son fils continuaient d'alimenter les conver-
sations. Oswald Grant chassa peu durant cet hiver, mais il
s'arrêta souvent au magasin général. C'était, de loin, notre
meilleur client. Il avait besoin de tout puisqu'il n'exploitait
rien.*

*— Tu parles d'un gaspillage! fulminaient les vieux. La
plus belle et la plus grande terre qui profite à personne.
On se demande ce que font les serviteurs dans cette
grosse cabane. Payés à se tourner les pouces! Et le fils
dans tout ça? La face pourrie ne sait rien faire? Ils achè-
tent leur bois, leur lait, leur pain, et puis la viande et toute
l'étoffe. Ils paient même la nourriture des chevaux. C'est
simple, il y a que l'argent qui sort de ce domaine-là.*

L'Écossais passait moins souvent à la poste l'hiver, mais pendant tout l'été il y avait cueilli de nombreuses caisses, parfois venues de l'autre bout du monde. Oswald Grant vivait richement. Il recevait du whisky d'Écosse, de l'alcool de genièvre d'Angleterre et des vins de France. Ces informations étaient imprimées sur les caisses, mais de toute manière, l'Écossais ne s'en cachait pas. Il buvait beaucoup. On l'avait vu plus d'une fois tirer une bouteille de sa poche.

Cette année-là, une tempête atroce déferla sur la côte la veille du mardi gras. Des arbres tombèrent, des toits furent endommagés et des fenêtres volèrent en éclats. Les routes furent impraticables pendant plusieurs jours. Le mauvais temps annula ainsi les dernières réjouissances d'avant le carême. L'hiver fut encore marqué par deux naissances, un décès, une corvée de réparation et une engueulade du diable entre deux marguilliers. Puis vint la mi-carême. Cette fois, tout le monde était bien décidé à en profiter.

Maybel était resplendissante, ce soir-là. Je l'avais forcée à enfiler une robe trop petite pour moi et un châle qui accentuait la couleur de ses yeux. Guillaume, mon frère aîné, paraissait totalement charmé par elle. Rentré depuis peu des chantiers pour aider mon père au moulin de la Price, Guillaume n'avait jamais qu'entrevu mon amie. Et voilà qu'il la découvrait, «belle comme c'en est presque péché». J'avais déjà entendu quelqu'un parler de mon amie en ces termes et j'imaginais bien Guillaume la percevant ainsi. Maybel dansa sans arrêt, infatigable, les yeux pétillants et le cœur en fête.

— Une vraie diablesse, ton amie! chuchota Guillaume à mon oreille.

Je me souviens d'avoir ri en songeant que c'était une bien étrange petite sauterelle, en tout cas.

Pauvre Guillaume! Maybel l'avait à peine regardé. Elle avait déjà dansé avec son père et le mien, avec mes deux jeunes frères qui l'adoraient, et avec le Quêteux qui était tout à sa joie de marteler le plancher sans tenir compte de la musique. Guillaume rôdait, de plus en plus impatient. Un autre jeune homme venait de s'approcher de Maybel lorsque Guillaume se décida soudain. Il se précipita vers mon amie, l'enlaçant un peu cavalièrement, et il l'entraîna avec lui avant même que l'autre jeune homme ait le temps de comprendre ce qui venait d'arriver.

Béatrice était venue. Nous avions réussi à l'apprivoiser un peu. Nos regards se croisèrent pendant que Guillaume et Maybel virevoltaient. La tante de Maybel n'avait pas apprécié les manières de mon frère. Et moi non plus, d'ailleurs. Mais Maybel ne parut pas s'en offenser. Trop heureuse de danser, elle n'avait rien remarqué.

Peu après la mi-carême, il y eut un redoux suivi d'une grosse vague de froid. Les routes devinrent des miroirs glacés. Les bêtes se plaignaient dans l'étable et l'eau gelait dans les auges. Chaque tâche devenait un exploit. Quiconque devait braver le froid pour nourrir les bêtes ou ramener du bois risquait les morsures du vent. Des bouts d'oreille et des doigts de pied furent brûlés par le froid.

Puis vint la poudrerie. La neige brouilla l'horizon, effaçant les montagnes, les baies, les anses. Un vaste paysage disparut dans une mer de flocons pendant que le silence enterrait tout. Même les oiseaux les plus fidèles, mésanges, jaseurs et sittelles, semblaient avoir déserté. Quinze jours durant, je ne vis pas Maybel.

La tempête aviva des souvenirs en elle. Emprisonnée dans son anse, Maybel songeait souvent au fils de l'Écossais sur l'autre rive. Une nuit, elle fit un cauchemar. William Grant marchait devant elle sur le sentier de son île. Il paraissait immense. Maybel s'émerveillait de le voir caresser avec des gestes presque tendres le duvet d'un nid abandonné. Soudain le vent enfla et une nuée de plumes pâles emplit le ciel noir. C'était invraisemblable. Tout ce duvet qui flottait, tourbillonnait, virevoltait... L'homme disparut tout à coup, aspiré par ce brouillard de plumes. Maybel entendit alors un cri déchirant. Le fils de l'Écossais gémissait et le son qui sortait de sa bouche ébranlait les falaises et affolait les oiseaux.

Béatrice s'éveilla aux cris de Maybel et trouva vite la manière de se frayer un chemin jusqu'au cœur de sa nièce. Cette même nuit, Maybel lui raconta tout, depuis le renard de l'enclos jusqu'au grand duc apprivoisé.

— Quand je pense à William Grant... à cet homme qu'ils appellent la Bête... C'est fou. Ça fait presque mal... balbutia-t-elle. L'idée qu'il soit prisonnier me révolte, mais surtout, j'ai énormément de peine pour lui.

— Es-tu bien certaine qu'il soit prisonnier ? demanda Béatrice. Les prisons sont rarement là où on croit. Penses-tu que ton père est prisonnier dans son phare ? C'est ici, sur sa terre, à ciel ouvert, qu'Alban est en prison.

Maybel réfléchit longuement à ces paroles. Elle comprenait pour Alban, mais elle avait du mal à imaginer Oswald Grant autrement qu'en geôlier. À ses yeux, le fils vivait dans un enclos comme jadis les renards.

Malgré tout, Maybel se décida à lui expédier un message.

«À William Grant», écrivit-elle en ajoutant «dit la Bête», un peu par audace mais aussi par franchise, parce qu'on l'appelait ainsi, tout simplement.

J'ai pour vous de l'amitié. C'est pour ça que je m'inquiète à l'idée que vous soyez prisonnier. Si j'ai inventé des barreaux là où il n'y en a pas, c'est sans malice. Alors, pardonnez-moi.

À bientôt peut-être ?

Votre voisine

Maybel roula son message, l'enveloppa dans un morceau de cuir et l'attacha à un bout d'étoffe blanche, symbole d'armistice. Dès le premier jour de beau temps, elle longea la grève en s'enfonçant parfois jusqu'à mi-cuisse dans les bancs de neige sculptés par le vent. Elle parvint ainsi à atteindre la pointe aux Épinettes, où elle noua son fanion à une branche.

Les jours suivants, la neige recommença à fondre lentement. Alban épiait les étoiles, prédisant qu'à la prochaine lune, la banquise se détacherait dans un grand fracas.

— Le printemps va nous arriver d'un coup. Vous allez voir ! annonçait-il, heureux de cette perspective.

Un matin, Maybel s'éveilla avec des fourmis dans les jambes. C'était une belle journée de soleil et de vent. Le ciel était d'un bleu étourdissant. Après s'être occupée des bêtes, elle voulut grimper le cap à l'Orignal. Elle avait besoin de bouger et de voir du pays, ce jour-là. À mi-chemin, elle s'arrêta sur un petit surplomb. De là, on pouvait admirer le chapelet de baies, de caps et d'anses. Maybel adorait ce panorama. Le souffle court, le cœur battant, elle dévora le paysage. Lorsqu'elle fut rassasiée, elle ferma les yeux pour mieux profiter de l'ivresse du moment. Elle inspira profondément, goûtant avec joie l'air encore vif, gorgé de soleil et de printemps. En ouvrant les yeux, elle vit l'écharpe rouge battue par le vent tout au bout de la pointe aux Épinettes.

Elle redescendit d'une traite, la gorge sèche et les oreilles bourdonnantes, longea la grève jusqu'à l'islet aux Canards et entreprit de traverser la banquise en visant la pointe où dansait le fanion.

Le temps s'était couvert. Des nuages poudreux flottaient au sommet du cap Enragé. Le soleil disparut soudain. Maybel se retourna. Un troupeau de nuages masquait l'horizon, liant le ciel à la mer glacée. Et loin derrière, vers Saint-Fabien, une ombre grise, gigantesque, avalait tout le bleu du ciel. La masse sombre s'effilochait à la base. On aurait dit un corbeau géant traînant son aile frangée sur les crêtes.

Maybel tourna les talons et hurla de frayeur. William Grant était devant elle. Il avait dû la guetter, dissimulé derrière l'islet. D'abord irritée, Maybel s'adoucit en observant son visiteur. Enveloppé dans un long manteau noir, son masque collé au visage, il la contemplait d'un air contrit, visiblement navré de lui avoir fait peur.

— Je voulais vous éviter de traverser jusqu'à la pointe. Ce que j'ai à vous montrer est par là, dit-il d'une voix rauque en désignant la montagne Ronde.

Ils atteignirent la côte sans prononcer un mot. Avant d'entreprendre l'ascension de la montagne Ronde, il se retourna pour s'assurer que Maybel le suivait. Il continua de progresser d'un pas sûr parmi les arbres alors même que rien ne balisait cette route. Ils traversèrent de nombreuses pistes d'animaux. Maybel remarqua de profonds sillons dans la neige à plusieurs endroits, un peu comme si la forêt avait été labourée en plein hiver. Elle découvrit aussi que la végétation avait été broutée, toujours à la même hauteur.

Maybel aperçut bientôt une clairière derrière les arbres. Son compagnon se mit à avancer plus lentement et elle accorda son pas au sien. Puis il s'immobilisa et attendit qu'elle le rejoigne.

— Quand je lèverai le bras, arrêtez-vous immédiatement, chuchota-t-il. Installez-vous confortablement et ne bougez plus.

Il fit comme il avait dit. Après avoir atteint une faible dépression, il leva le bras. Maybel s'adossa à un grand pin et attendit. Il avança de quelques pas. Sans bruit.

Des têtes émergèrent parmi les broussailles, un peu plus bas. De longues oreilles fines apparurent, puis des naseaux frémissants et des yeux tendres et doux. William Grant avait mené Maybel à un ravage de chevreuils.

Les animaux durent reconnaître son odeur. Ils restèrent couchés dans la neige, le cou relevé, les oreilles dressées. Le fils de l'Écossais attendit qu'ils s'habituent à lui.

Alors, seulement, il s'assit dans la neige, sortit des pommettes gelées de ses poches et les éparpilla autour de lui.

Les chevreuils firent d'abord comme s'ils n'avaient rien vu. Puis, peu à peu, les museaux se tournèrent vers le jeune homme. Un premier cerf se releva tranquillement, marqua une longue pause, puis avança vers l'intrus en creusant la neige. D'autres suivirent. William Grant fut bientôt encerclé par une demi-douzaine de chevreuils se régalant des fruits qu'il avait apportés.

C'était une bête parmi les bêtes. Et cela n'avait rien d'inquiétant. Le spectacle était au contraire fort réjouissant. Pendant combien d'heures, combien de jours, avait-il parcouru la région avant de trouver la trace des chevreuils ? Pendant combien d'heures, combien de jours, avait-il guetté en silence, acceptant la défaite chaque fois que les bêtes détalaient, bondissant dans la forêt, la queue dressée, après avoir reniflé son odeur ?

Jusqu'à ce qu'un jour, les chevreuils ne réagissent pas en reconnaissant son odeur. Il n'avait rien tenté cette fois, pour ne pas les brusquer. Mais il était revenu, les poches remplies de fruits encore gorgés de sucre, et il les leur avait offerts, sans rien demander en échange sinon la permission de se faire oublier. De rester simplement parmi eux.

Lorsque Maybel émergea de ses songeries, un jeune chevreuil broutait le manteau de son compagnon. Elle crut percevoir un gloussement. Les autres animaux étaient repartis. Le petit levait vers le jeune homme de grands yeux implorants. William Grant plongea une main dans sa poche et en ressortit une pommette fripée. Le chevreuil s'empara du trésor et s'enfuit.

Maybel marcha jusqu'à son guide et lui tendit la main pour l'aider à se relever. Elle était heureuse d'être venue. Non seulement parce que le spectacle l'avait fascinée, mais parce qu'elle avait l'impression de mieux le connaître. Lui. Or, il semblait si grave, tellement pénétré par la grâce du moment, que cela éveilla en Maybel un désir de gaieté.

Il accepta sa main, mais au lieu de tirer, elle lâcha prise. Maybel s'esclaffa lorsqu'il retomba lourdement dans la neige et elle se sauva en courant, des rires plein la gorge.

Plusieurs fois, elle se retourna. Elle aurait voulu qu'il coure lui aussi. Peut-être aurait-elle tenté de le faire tomber à nouveau. Et peut-être bien qu'enfin – oh miracle ! – il aurait ri. Mais il se contenta de la suivre de loin. Arrivée à la banquise, elle l'attendit. Son cœur galopait, elle était épuisée et elle avait faim.

Ils étaient chacun à égale distance de leur demeure. Il allait marcher en direction du cap Enragé et elle vers l'anse à Voilier. Maybel constata qu'elle n'avait rien dit depuis qu'il avait surgi derrière l'islet. «Un vrai miracle», réfléchit-elle, un brusque sourire illuminant son visage. Il la scruta d'un air grave, effaré par ce sourire soudain. Pour William Grant, Maybel était un mystère vivant.

L'air se chargea de flocons légers, aussitôt tourmentés par le vent, si bien qu'on eût dit qu'au lieu de tomber, la neige voletait à petits coups d'ailes, à croire que des milliards d'oiseaux minuscules avaient envahi le ciel. Un soleil blafard tentait de percer l'écran de neige en parvenant tout juste à l'éclairer de reflets mouvants.

Maybel se remémora son cauchemar. Le fils de l'Écossais avalé par une tempête de plumes. Et l'écho de son cri désespéré au loin.

— Croyez-vous que les chevreuils soient prisonniers de leur ravage ? demanda le jeune homme comme s'il devinait ses pensées.

Maybel refusa de répondre. Elle n'osait plus décider de ce qui est prison et liberté.

— La semaine dernière, j'ai joué à votre jeu, poursuivit-il. Mais il ne m'a pas plu. Quand je fixe le vide depuis le sommet d'une montagne, je n'ai pas envie de m'avancer. La vie est trop précieuse...

Maybel haussa les épaules. Son discours l'agaçait. Elle aussi trouvait la vie précieuse. C'était là tout le plaisir ! C'est pour ça qu'elle avait les mains moites et que son cœur battait la chamade.

— J'ai inventé un autre jeu, dit-il. Une sorte de course aux trésors.

Maybel était tout oreilles. Il fit une pause, comme s'il avait besoin de soupeser chaque mot avant de poursuivre.

— J'ai dix merveilles à vous faire découvrir. Le ravage en était une.

— Et, à la fin, qu'est-ce qu'on gagne ? demanda Maybel, amusée.

— Mon cœur ! dit la Bête d'une voix bourrue où perçait la rancœur.

Maybel sentit des frissons rouler dans son dos. Par bravade, elle darda sur lui ses yeux mauves. Il parut regretter sa rudesse et poursuivit sur un ton plus aimable :

— Vous gagnez des tableaux, des souvenirs, des perceptions... Des émotions peut-être. Mes dix trésors sont autant de raisons pour vous convaincre que je ne suis pas en prison. Mon père s'oppose à ce que je voie des gens ou, plutôt, à ce que des gens me voient. C'est vrai. Vous devinez pourquoi... Mais je pourrais faire à ma guise. Si j'accepte, c'est parce que je souhaite moi-même qu'il en soit ainsi.

Il marqua une pause avant d'ajouter :

— Vous êtes... l'exception.

— Ah bon ! Et comment vais-je savoir que c'est l'heure de jouer à la course aux trésors ?

— J'attacherai mon écharpe là où, deux fois déjà, vous l'avez aperçue. La prochaine fois, portez des vêtements d'homme. Je ne veux pas qu'on nous remarque.

Il avait l'air de donner des ordres, ce qui agaça Maybel. Malgré tout, elle avait déjà hâte à cette prochaine fois, même si elle ne voulait pas le laisser paraître.

— Je viendrai si je peux, lança-t-elle avant de repartir.

Tous les jours, Maybel descendait jusqu'au rivage pour voir si le fils de l'Écossais avait accroché son écharpe.

Béatrice discerna vite le manège, mais elle ne dit rien à son frère jumeau. Alban risquait trop de se faire du mouron.

— Va donc voir au bord de la mer si tu ne trouverais pas une mitaine, demanda Béatrice à Maybel, un jour, en fin d'après-midi. J'ai dû l'échapper en me promenant, hier...

Maybel trouva la requête surprenante, Béatrice n'ayant pas mentionné cette mitaine perdue la veille, mais l'idée de marcher sur la grève lui plaisait. Elle comprit la manœuvre de sa tante en levant les yeux vers le large. L'écharpe rouge flottait à la pointe aux Épinettes.

Deux fois déjà pourtant, depuis le matin, elle avait couru jusqu'à la banquise et scruté l'horizon. L'écharpe n'y était pas. William Grant avait attendu que le jour descende.

— J'ai apporté des peaux. Il va faire froid, prévint-il en l'apercevant.

Le soleil était déjà bas. Maybel pria pour que Béatrice trouve une façon d'expliquer son absence sans alerter Alban.

Ils longèrent la côte jusqu'au manoir.

— Mon père est ivre, dit le jeune homme. Il en a pour au moins deux jours...

Avait-il attendu que son père soit complètement saoul avant de hisser le fanion? Avait-il peur de lui au fond? Maybel songea que le fils de l'Écossais était peut-être moins libre qu'il ne l'affirmait.

Elle le suivit jusqu'au pied du cap Enragé. Là, il grimpa sur un cran rocheux et attendit que Maybel le rejoigne. Puis il déballa ses fourrures et en offrit à sa compagne pour qu'elle n'ait pas froid.

Ils restèrent immobiles à contempler le ciel gris et vide. Maybel soupira à quelques reprises. « Tu parles d'un secret, se disait-elle. J'aurais eu autant d'excitation en restant à la ferme. » Pourtant, elle ne dit rien.

Parfois, le vent soufflait un peu. Rien d'important. Mais le silence amplifiait tout, si bien que le moindre murmure devenait assourdissant. Un arbre s'étirait vers le ciel en se tordant un peu et les craquements de l'écorce emplissaient l'espace. Maybel remarqua que la banquise gémissait. On eût dit qu'une bête dissimulée sous la glace cherchait à s'extraire de sa carapace. De curieuses plaintes trouaient la mer gelée, puis l'air se chargeait des crépitements secrets de la forêt derrière. Et le vent soufflait à nouveau. À peine.

Le ciel s'obscurcit. Il devint aussi sombre que l'écorce des épinettes et se para de reflets bleutés. Maybel sentit son compagnon remuer à ses côtés et elle eut subitement conscience de leur intimité. Il aurait suffi qu'elle tende une main pour toucher à l'étoffe de son vêtement. Elle ferma les yeux et reconnut l'odeur du masque de cuir. Puis celle de William Grant. Des effluves confondus de terre, de neige mouillée, d'écorce, de vent et de sapinage. Un parfum enveloppant et enivrant.

Maybel ouvrit les paupières et se tourna légèrement pour l'épier. Savait-il qu'elle le regardait ? Cette fois, le masque bien en place dissimulait parfaitement le bas du visage et la lumière était trop faible pour que Maybel puisse deviner les ravages sous le cuir fin.

Sans doute remarqua-t-il qu'elle l'observait. Il pivota vers elle et leurs genoux se heurtèrent. Maybel sursauta à la vue des yeux noirs, si près, si immenses, posés sur elle. L'iris était aussi sombre que la prunelle, mais parcouru de lueurs, comme si de l'obscurité pouvait jaillir la lumière. Maybel détourna les yeux, en proie à un vertige.

C'est alors qu'elle vit la lune. Elle venait tout juste de se lever, pâle et hésitante. Glorieuse.

Maybel sentit une grande joie l'envahir.

— C'est là que j'ai compris que le silence est magique, me confia-t-elle plus tard. Sans lui, le lever de lune n'aurait jamais été aussi saisissant.

Alban s'était trompé, la banquise ne se dessouda pas d'un coup avec grand fracas au changement de lune. L'hiver refusait de lâcher prise. Dans mon cœur, pourtant, le printemps éclatait depuis que François Bouvier m'avait fait savoir qu'il reviendrait à Pâques. Maybel semblait aussi excitée que moi. Le dimanche, elle s'amusait à me coiffer «en prévision des noces» et elle me demandait de lui décrire la robe que je porterais ce jour-là.

En la regardant, si fervente, les yeux brillants d'excitation, je me surprenais à songer qu'il était impossible de ne pas l'aimer.

Au cours de cet interminable hiver, le curé piqua une «sainte colère» – c'est lui-même qui la baptisa ainsi – parce que plusieurs paroissiens n'avaient pas encore payé la dîme. Béatrice osa dire publiquement que c'était honteux de voir un aussi gros curé harceler des citoyens «cent fois plus maigres que lui».

Au premier après-midi de franc soleil, Maybel aperçut à nouveau l'étoffe rouge. Cette fois, le fils de l'Écossais se manifesta plus tôt pour ne pas effrayer sa voisine. Maybel devait avoir une drôle d'allure. À leur rencontre précédente, avant de la quitter, William Grant lui avait rappelé qu'elle devait se déguiser. Elle portait donc, par-dessus ses vêtements, un vieux pantalon de son père mis de côté pour le prochain épouvantail, une chemise de grosse laine dont les pans lui descendaient jusqu'aux genoux et une calotte d'homme.

— Vous êtes splendide! s'exclama le fils de l'Écossais d'un ton parfaitement sincère.

À la grande surprise de Maybel, il l'entraîna vers le large jusqu'à un muret de blocs de glace qu'ils escaladèrent promptement. Maybel poussa un cri de ravissement en découvrant l'eau libre à perte de vue et un troupeau de jeunes loups-marins batifolant dans la mer glacée.

Je n'ai jamais contemplé pareil spectacle, mais Maybel me jura que c'était unique. On voit souvent les jeunes loups-marins s'amuser comme des chiots dans les anses au printemps. Ce n'est pas pour rien qu'on les appelle aussi les chiens de mer. Dans cette eau noire où flottaient encore des plaques et des capuchons de glace, les loups-marins semblaient éperdus de joie. Ils filaient sur la mer, s'éclaboussaient à grands coups de nageoires, sautaient l'un par-dessus l'autre, puis fonçaient à toute allure, provoquant des collisions pour le simple plaisir de frotter le bout de leur museau contre celui du voisin. Puis ils grimpaient sur un radeau de glace, mettant toute leur énergie à défendre ce minuscule territoire, jusqu'à ce qu'un assaillant parvienne à les déloger dans un concert de clapotis. Et ils recommençaient, inlassables, multipliant taquineries et prouesses.

— C'est fou ce que j'aurais donné pour nager avec eux, me raconta Maybel. Je l'ai dit à mon compagnon. Il m'a regardée... et il a éclaté de rire! M'entends-tu, Florence? En écoutant mes bavardages, William Grant a éclaté de rire. Enfin! J'étais tellement contente! J'avais... du soleil plein le ventre.

Au retour, pendant qu'ils avançaient sur la banquise, il parla.

— Si vous étiez un animal, vous seriez un loup-marin, dit-il à Maybel. De tous les animaux, ce sont les plus joyeux. Dès la naissance, ils sont possédés par une extraordinaire gaieté qu'ils n'en finissent plus d'exprimer. En vieillissant, ils deviennent paresseux, mais plusieurs conservent ce talent pour le bonheur, cette formidable capacité de joie.

— Et vous, quel animal seriez-vous? demanda Maybel, impressionnée par cette façon qu'avait son compagnon de parler.

La question parut l'amuser. Il réfléchit longuement avant de répondre.

— Un cormoran.

Maybel ne voyait pas pourquoi.

— Un jour, peut-être, je vous expliquerai...

Il sembla se refermer, s'isolant à nouveau dans son monde. Et puis, soudain, il poursuivit, comme si la conversation n'avait jamais été interrompue :

— Mon père déteste les loups-marins. Ces animaux l'outragent, leur jovialité l'agresse. Il les chasse avec rancœur : il a besoin de les abattre. Il leur en veut d'être tout ce qu'il n'est pas et de posséder ce qu'il ne pourra jamais acheter.

Ce jour du troisième secret, Maybel rentra si tard que Béatrice fut forcée de tout raconter à son frère. Alban attendit sa fille sur le rivage, parmi les broussailles et les herbes encore gelées, le Quêteux à ses côtés. Maybel vit ce dernier remonter la pente vers la ferme alors qu'elle approchait. Celui qu'on appelait souvent «l'Arriéré» avait une intelligence particulière des humains. Il avait compris qu'Alban voudrait être seul avec sa fille.

Ils s'assirent sur des pierres réchauffées par le soleil. Déjà, les kakawis étaient de retour dans l'anse. Bientôt, tous les oiseaux suivraient.

— Je sais et tu sais que je sais. Pas vrai ? demanda Alban.

Maybel acquiesça.

— Tu ne voulais pas me le dire pour ne pas m'inquiéter. C'est ça ?

Maybel hocha encore la tête.

— Bon. Eh bien, c'est fini. On n'a plus à mentir. J'ai rien contre le fils et je vais continuer à craindre le père. J'y peux rien. Tu as presque dix-sept ans. À ton âge, ma mère avait déjà deux enfants. Tu es bien assez grande pour juger, ma belle. Je n'ai pas à intervenir dans tes amitiés.

Alban fit une pause. Il ajouta, gêné :

— Mais, masque ou pas, c'est un homme. Ne l'oublie pas...

Ils restèrent assis à étudier le ciel. Ils s'étaient souvent attardés ainsi à chercher des étoiles filantes. Maybel babillait sans arrêt pendant que son père basculait en plein ciel, émerveillé par les astres.

Ce soir-là, Maybel resta silencieuse.

— Vois-tu, Florence, le fils de l'Écossais m'a appris à aimer le silence, m'expliqua-t-elle par la suite. Je commence tout juste à comprendre une foule de choses. Pourquoi mon père est fou d'étoiles, par exemple. La majorité des gens voient juste de petites billes qui picotent le ciel, mais mon père, lui, voit un univers. Pendant que je comptais les étoiles filantes, durant toutes ces années, en jacassant tout le temps, peut-être bien que mon père les entendait filer. Avec un petit bruit sec de vent, tiens. Il m'a déjà dit qu'il entendait les aurores boréales danser. «Sur une musique de soie froissée.» Je me souviens de ses mots. Ça m'avait plu.

À cette confidence de Maybel, j'avais été surprise de constater que la petite sauterelle de l'anse se métamorphosait réellement au fil de ses rendez-vous avec son voisin.

❦

Si Maybel était rentrée si tard, c'est parce que le fils de l'Écossais avait longuement parlé. Cette fois encore, Maybel me raconta tout.

— Écoute-moi bien, Florence, avait-elle chuchoté comme si des fantômes nous épiaient. J'ai besoin de tes oreilles. En te racontant, je vois plus clair, je comprends mieux.

Nous étions en cette saison entre le chemin qui glisse et celui qui roule. Le pire temps pour se déplacer. Elle arriva chez moi très tôt au lendemain de sa rencontre avec William Grant, après avoir fait la route à pied. Seule en voiture, elle risquait trop de s'enfoncer dans la neige molle. Elle emprunta le chemin du Roi en espérant qu'un conducteur la ferait monter. Mais les voyageurs étaient rares à ce temps de l'année.

Ce jour-là, j'appris de Maybel qu'Oswald Grant était né à Greenock en Écosse. Issu d'une famille très connue, il sut très jeune que son héritage le rendrait pour toujours indépendant de fortune et qu'il en serait ainsi pour ses fils et ses petits-fils.

Pour lui, la vie était un jeu, mais un jeu très sérieux qui consistait à chasser tout ce qui mérite d'être attrapé. Oswald Grant était le cadet d'une famille de sept et son père le disait prédestiné. Il en eut la preuve lorsque, à douze ans, Oswald abattit un sanglier.

Après, ce ne fut que voyages et trophées. Le père d'Oswald était un chasseur redoutable ; or, à la stupéfaction de tous, le fils se révéla aussi insatiable et encore plus doué. Sa passion pour la chasse ne connut pas de trêve jusqu'au jour où il ramena de France une femme. Ses ancêtres venaient d'Irlande, mais elle ne parlait que la langue du pays où elle avait grandi. Oswald Grant fut séduit par sa peau très blanche et sa crinière aussi rousse qu'abondante. Avant de l'épouser, il remarqua à peine qu'elle était douce et bonne, que ses seins étaient pleins et sa bouche invitante. Habitué à considérer les pelages, il avait été conquis par la peau laiteuse et la chevelure flamboyante.

L'Écossais voulut rapidement obtenir un fils. Sa jeune épouse participa au projet avec plus de ferveur que de succès. Chaque fois qu'une graine s'implantait, son corps la rejetait. Elle subit trois fausses couches avant de mener enfin une grossesse à terme. L'accouchement fut périlleux, les souffrances atroces, mais l'enfant était magnifique. Et c'était un garçon ! Ils l'appelèrent William. Les médecins confièrent à Oswald qu'à leurs yeux, cet accouchement tenait du miracle. Il devait bénir le ciel que sa femme soit encore de ce monde.

Oswald tenait son fils comme un trophée. Il était vigoureux et parfaitement formé. Il ne lui manquait pas un seul doigt de pied. Mais l'idée que cette toute petite chose soit seule à assurer la lignée l'inquiétait. Si jamais il arrivait un malheur... Oswald ne laissa donc pas sa femme en paix. Un an plus tard, son ventre enflait à nouveau. Et quelques mois après, elle baignait dans une mer de sang.

C'est lui qui l'avait trouvée. Lui qui l'avait portée jusqu'au médecin. Ce dernier l'avertit que sa femme ne passerait pas la nuit. Or, à la grande surprise de tous, elle ouvrit les yeux au matin, en demandant à voir son fils.

Oswald Grant eut l'impression que sa femme n'avait pas survécu pour lui, mais pour cette petite chose qui morvait, criait, chialait et courait déjà partout. Il se remit à la chasse avec une ardeur peu commune, employant tout son savoir, toute son énergie, à traquer des bêtes dans tous les pays possibles. Son imposante collection d'armes et la variété de ses trophées impressionnaient à tout coup les visiteurs.

Le fils grandit jusqu'à devenir assez haut pour abattre lui-même des proies. Il adorait sa mère, craignait et admirait son père qu'il ne voyait guère. L'Écossais organisa une chasse au petit gibier en l'honneur de son fils. La mère du petit frissonna en apprenant la nouvelle.

— Soyez prudents, supplia-t-elle en couvant William d'un regard adorateur.

Oswald Grant avait réuni quelques hommes qui avaient eux aussi un fils à initier. Chacun portait son arme. Les jeunes avaient reçu des instructions et ils s'étaient déjà pratiqués à manier des armes. En fin de journée, William seul s'apprêtait à rentrer bredouille. Les autres fils avaient tous abattu un lièvre ou une pintade. Oswald Grant fulminait. Comment son propre rejeton pouvait-il être si peu doué ? Au lieu d'abattre sa proie, il la contemplait. Quelle honte !

L'Écossais gardait maintenant son fils à deux pas de lui.

— Quand je t'en donnerai l'ordre, tire. N'hésite pas ! lui avait-il intimé d'un ton tranchant.

Il y eut bientôt un froissement d'aile et un faisan s'envola devant eux.

— Tire ! hurla l'Écossais.

William était encore égaré dans ses rêveries quand son père le poussa brutalement en lui ordonnant de tirer. Il perdit l'équilibre et tomba face contre terre. Pendant que son père continuait de hurler, il épaula son arme et, encore allongé sur le sol, le fusil pressé contre sa joue, il tira.

L'explosion qui suivit anéantit tous ses rêves, comme ceux de son père. On ne sut jamais si le canon du fusil était bloqué ou si l'arme était simplement défectueuse. Une chose est sûre, la vie de William Grant fut réécrite ce jour-là. Il aurait dû mourir, mais la mort ne voulait pas de lui. La déflagration lui avait arraché tout le bas du visage. Il ne restait qu'un amas d'os et de muscles sanguinolents. C'était un spectacle tellement horrible, tellement inhumain, qu'Oswald Grant faillit s'évanouir en découvrant le visage mutilé de son fils.

Dans les semaines qui suivirent, l'Écossais trouva mille raisons de partir, quittant leur château avant même que son fils soit définitivement sauvé. La mère de William usa de tous ses pouvoirs pour persuader les médecins de continuer à venir, alors même qu'ils croyaient son fils condamné. Le pauvre semblait lutter contre des monstres invisibles. La fièvre le faisait délirer. Il roulait de grands yeux épouvantés et des hurlements de bête sortaient de sa gorge. Lorsqu'il émergeait de ces cauchemars, le front brûlant, le corps trempé de sueur, il dévorait sa mère d'un regard implorant. Elle comprenait parfaitement la prière muette de son fils : il la suppliait de mettre fin à cet enfer.

Et elle refusait, acharnée, exhortant son fils à poursuivre la lutte, malgré la torture. Elle priait à voix haute pour qu'il ne se laisse pas mourir. Pendant des nuits et des nuits, elle endura seule les cris et les supplications. Il arrivait que sa foi vacille et elle dut se demander plus d'une fois si elle était bien une mère ou un bourreau. Comment pouvait-elle encourager son enfant à endurer pareille souffrance ? Comment pouvait-elle souhaiter qu'il accepte de vivre avec ce visage arraché ? Malgré tout, elle tenait bon.

Un jour, Oswald Grant revint de chasse plus tôt que prévu et il trouva son fils debout devant une fenêtre ouverte du séjour. William portait un vêtement de nuit léger que la brise collait à son corps. Le père admira les larges épaules de son fils, son dos bien droit, ses longues jambes, encore musclées malgré les longues semaines d'alitement. William se retourna pour saluer son père. À la vue du visage détruit, Oswald Grant roula des yeux exorbités et un hoquet de dégoût s'échappa de sa bouche.

William Grant quitta immédiatement la pièce. Il s'enferma dans ses propres quartiers et y resta deux jours, sans manger.

— Mourir était si facile, confia-t-il à Maybel. J'avais autour de moi tant d'armes accessibles. J'ai caressé amoureusement l'idée. Mon sort était si peu enviable...

Et, pourtant, il y renonça. Au cours des mois précédents, il avait lutté contre la mort parce que sa mère le voulait tant. Cette fois, c'est lui qui choisissait de vivre.

Juste avant l'arrivée de son père, William admirait par la fenêtre un pur-sang qu'Oswald Grant venait d'acquérir. Une bête superbe. L'Écossais avait engagé un homme pour la dompter et ce dernier y parvint, plus tard ; mais au moment où William Grant était debout à la fenêtre, c'est encore la bête qui l'emportait. Elle ruait, bondissait, se cabrait, montait sur ses pattes de derrière dans une sorte de ballet furieux qui exprimait magnifiquement son refus de soumission. Cette image revint hanter William Grant pendant les deux jours où il envisagea de se laisser mourir. Au terme d'une longue nuit d'insomnie, il comprit pourquoi.

L'ardeur de l'animal l'avait profondément ému. C'est ce qu'il avait trouvé si beau. Cette manière quasi féroce de clamer haut et fort : j'existe ! Je suis vivant ! Et de défendre fougueusement cette richesse.

Lorsqu'il ressortit de ses quartiers, le fils de l'Écossais portait un masque qu'il avait lui-même découpé dans un cuir fin que son père avait mis de côté pour se faire tailler des gants. Il était prêt à vivre, prêt à résister, mais à condition de ne plus jamais lire le dégoût sur le visage d'Oswald Grant.

Le récit de son voisin ébranla puissamment Maybel. Son émotion perçait dans les inflexions de sa voix comme dans *ses gestes et sur son visage lorsqu'elle me rapporta ses paroles. Déjà envoûtée par le personnage, elle éprouvait désormais une vive admiration empreinte de compassion et «des tonnes de tendresse», ajoutait-elle, véhémente. Pendant de longues semaines, elle tenta de deviner ce que serait le prochain trésor. Le quatrième...*

François Bouvier revint et repartit presque aussitôt. Mais avant, il me demanda de l'épouser. J'étais heureuse. Le cri des mouettes résonna à nouveau dans le ciel du printemps. Sur les blocs rocheux découverts par la marée, les cormorans revinrent sécher leurs ailes. Les loups-marins grognaient et mordaient pour s'amuser pendant que les canards faisaient la parade, bombant le torse et rejetant la tête en arrière pour éblouir les belles. Les anses et les baies s'animèrent d'une vie nouvelle.

Maybel était fortement attirée par la grève. Elle se débarrassait en hâte de ses tâches pour arpenter la plage où elle cueillait de pleins paniers de varech. Ses sens s'étaient aiguisés au cours de ses promenades avec William Grant. Elle était plus que jamais sensible aux couleurs, aux cris, aux odeurs. Elle adorait s'emplir les narines du parfum de la mer, lourd de sel, d'iode et de goémon. Souvent, elle restait de longs moments assise sur un cran rocheux, les yeux fermés, pour le simple plaisir de laisser l'embrun déposer un voile de poussière d'eau sur sa peau. Lorsque Alban déclara qu'il y avait bien assez de varech pour engraisser les champs, elle se mit à ramasser du bois de grève.

Le vent n'agitait toujours que les arbres à la pointe aux Épinettes.

Au magasin, l'activité était intense. Grâce à la compagnie Price, la population de Sainte-Cécile avait presque doublé dans la dernière année. Le curé Guimond se donnait déjà des airs d'évêque et il harcelait ses paroissiens pour l'achat de deux grosses cloches. Un médecin s'était enfin installé au village, à deux pas du cordonnier, et trois forgerons se disputaient maintenant la clientèle. Notre commerce était florissant. Plusieurs fois par semaine, mes deux jeunes sœurs venaient nous aider, maman et moi, à disposer des marchandises sur les tablettes.

On parlait peu des Écossais. Le fils n'avait pas été aperçu depuis des lunes et le père nous visitait moins souvent que de coutume. Trois fois déjà, au lieu de venir lui-même, il avait envoyé un domestique avec une liste d'achats écrite de sa main. Les habitants de Sainte-Cécile avaient quand même besoin de personnages forts pour meubler leur vie simple et fouetter leur imagination. Ils jetèrent donc leur dévolu sur d'autres individus. Malheureusement.

La rumeur fut lente à prendre racine. Pendant des mois, il n'y eut que de timides allusions. Sans doute attendait-on le départ d'Alban pour l'île Bicquette avant de pousser plus loin les commérages. S'il avait continué à vivre dans l'anse douze mois par année avec sa sœur, sa fille et le Quêteux, leur fragile équilibre n'aurait peut-être pas été bousculé. Or, peu après que les lumières du phare de l'île Bicquette recommencèrent à illuminer la nuit, l'histoire se répandit : Béatrice et le Quêteux vivaient comme mari et femme, sans la bénédiction de Dieu. Quelqu'un les aurait vus s'accoupler dans les fourrés en bordure de la route.

— Paraîtrait qu'ils grognaient et qu'ils soufflaient comme des porcs, s'était permis d'ajouter la femme du notaire, qui jurait le tenir de source sûre.

Ma mère n'aimait pas les médisances et elle se défendait bien d'y participer, mais elle fut quand même ébranlée par ces propos. Je parvins sans trop de mal à la convaincre de ne pas y croire, puisqu'elle ne demandait pas mieux. J'aurais dû trouver le courage de tout raconter à Maybel. Souvent, depuis, je me suis reproché ce silence.

Un après-midi de juin, Maybel arriva au magasin les joues rosies et les yeux brillants. Avec de grands airs mystérieux, elle alla s'entretenir avec ma mère et obtint que je les suive, sans donner d'explications. Béatrice et le Quêteux nous attendaient dans une charrette.

Je crus d'abord à un simple pique-nique. Nous nous sommes arrêtés dans la petite anse derrière la montagne des Moutons. Béatrice déballa des victuailles : du pain, du lard, du beurre, de la confiture de fraises et des pâtés encore tièdes. Avec de grands gestes cérémonieux, le Quêteux étendit une vieille chemise sur le sable pour que je m'y installe avec Maybel. Il reniflait à grand bruit comme chaque fois qu'il était excité.

Béatrice m'offrit du vin de cerise, «juste pour y goûter», et cela me fit plaisir. J'étais heureuse en leur compagnie. Le soleil descendit doucement pendant que Béatrice nous racontait des histoires de loup-garou et de chasse-galerie.

Le Quêteux l'écoutait avec un plaisir d'enfant, les yeux ronds et la bouche ouverte.

Le ciel orangé s'enflamma et se para de couleurs vibrantes avec des ors de champs d'épervières. L'ambre fondit et la lune apparut, pleine et ronde, extraordinairement brillante. La mer montait, portée par de longues vagues écumantes. Le panier de victuailles avait été retourné à la charrette. Nous attendions. Qui? Quoi? Je ne savais pas. Le Quêteux s'avança le premier sur la grève, un seau à la main, ses gros pieds léchés par la mer. Maybel le rejoignit en sautillant.

C'est en m'approchant que j'ai vu les vagues scintiller comme si elles charriaient des milliards d'étoiles. En réalité, elles étaient envahies par une multitude de petits poissons aux écailles d'argent que la lune venait éclairer. Je n'avais jamais rien vu d'aussi étonnant. On aurait dit un petit miracle. Et pourtant, ce n'était que le rendez-vous annuel des capelans venus frayer sur le rivage.

La mer continua d'avancer. La plage disparut bientôt sous un manteau d'écailles étincelantes. Béatrice et le Quêteux ramassaient le poisson à pleins seaux, heureux de profiter de cette manne fabuleuse avant les premières récoltes. Maybel riait aux éclats en pataugeant parmi les capelans qui glissaient sur ses pieds et bondissaient sur ses jambes.

J'étais restée sur le haut de la plage, sidérée à la vue de tous ces poissons gigotant sous la lune. Maybel courut vers moi en me tendant les mains. Tout son être disait qu'elle voulait danser. Elle avait besoin de gestes pour exprimer sa joie. Alors, nous avons dansé, guidées par la rumeur des vagues, nos pieds dessinant sur le sable des pas que la mer se chargeait d'effacer.

Maybel ferma sans doute quelquefois les yeux pour rêver, comme moi, d'un autre partenaire. Je n'avais pas de difficultés à m'imaginer dans les bras de François Bouvier. Quant à mon amie, je crois bien que celui qu'elle espérait n'était encore qu'une ombre, une vague silhouette sans visage.

À leur rendez-vous suivant, William Grant ne dit rien pour expliquer son long silence. Pendant que Maybel avançait sur l'eau, il défit lentement son écharpe et attendit.

— J'ai bien failli vous envoyer porter une autre écharpe, lui cria Maybel d'un ton faussement badin où perçait le reproche. Je me disais que vous l'aviez peut-être perdue...

Le fils de l'Écossais ne fit pas attention à la remarque. Il ramena Maybel à l'île aux Plumes. La plupart des nids d'eider étaient vides. Ils surprirent des canetons au moment où ils dévalaient un petit monticule rocheux dans l'espoir de rejoindre leurs cousins à la mer. Étourdis par leurs premiers pas, les oisillons déboulaient, cul par-dessus tête, atterrissant dans l'eau dans le plus grand désordre pour découvrir qu'ils savaient nager.

Derrière un bosquet, William Grant trouva une femelle trop faible pour quitter son nid. Maybel aida son compagnon à la nourrir de moules bleues. Puis ils parcoururent les plages de l'île, portant secours à d'autres femelles déshydratées.

Maybel prenait l'entreprise à cœur. Elle était affolée à l'idée que l'opération de sauvetage puisse échouer.

— Allez-vous revenir demain ? Pensez-vous qu'elles vont réussir à atteindre la mer ? Elles ont combien de chances, d'après vous ?

Elle s'arrêtait un peu, puis reprenait :

— L'an dernier, en avez-vous trouvé qui étaient mortes dans leur nid... même après leur avoir donné des moules ?

Le fils de l'Écossais continua de fouiller parmi les hautes herbes, les pierres et les broussailles sans répondre à toutes ces questions. Ils tombèrent ainsi sur une femelle mal en point qui avait encore un caneton dans son nid. Pendant que Maybel cherchait des moules, William Grant cueillit la petite boule de duvet cendré avec précaution pour ne pas lui transmettre son odeur et alla la porter à la mer. À son retour, Maybel découvrit ce que son compagnon avait fait et elle éclata de colère.

— Qu'est-ce qui vous a pris de les séparer ? C'est la pire chose à faire. Aidez-moi ! Il faut le ramener. Vite ! Venez !

Il resta impassible. Maybel courut vers l'eau. Des dizaines de canetons suivaient les femelles en rangs désordonnés. Ils semblaient tous identiques.

Maybel revint vers William Grant, les yeux brillant d'éclairs mauves.

— Ce que vous avez fait est monstrueux ! On ne peut pas séparer un bébé de sa mère ! Vous n'êtes qu'un monstre ! lâcha-t-elle.

Sans doute blessé par ces paroles, le fils de l'Écossais entreprit de réhydrater la femelle épuisée sans tenir compte des humeurs changeantes de sa voisine. Lorsqu'il eut terminé, il fit quelques pas vers la plage avant de se retourner pour s'assurer que Maybel le suivait.

Il s'arrêta, figé. Les joues ruisselantes, le corps secoué de sanglots, Maybel pleurait à chaudes larmes. Il y avait tant de souffrance dans le regard de cette petite femme d'habitude si gaie qu'il en fut soufflé.

Il s'approcha lentement, s'agenouilla aux côtés de Maybel et la contempla, bouleversé. Bientôt, n'y tenant plus, il leva lentement une main et, du bout des doigts, caressa le visage de Maybel, avec des gestes d'une douceur infinie, comme si sa peau était aussi fragile qu'une aile de papillon.

Maybel ferma les yeux pour mieux s'abandonner à cette main sur sa joue. Après un moment, elle leva vers son compagnon ses yeux de lavande en tentant bravement de le rassurer d'un sourire.

— J'étais vraiment très petite quand ma mère est partie, dit-elle, le visage encore barbouillé de larmes. Je n'en ai jamais parlé à Alban, ni à Béatrice, ni même à Florence, mais chaque jour que le bon Dieu fait, je pense à elle. J'essaie de l'imaginer devant moi. Et j'ai mal...

Avant de la quitter, il l'avait prévenue qu'il tenterait de nouer à nouveau son écharpe à une épinette dans les prochains jours. Elle devrait alors le rejoindre au marais salé, à l'heure où la mer commence à se retirer.

Il l'attendait parmi les joncs en bordure du marais. Maybel était heureuse de le revoir. Depuis le début, elle souhaitait que les étapes de cette course aux trésors soient plus rapprochées. Elle en parlait encore comme d'un jeu. Pourtant, elle commençait à deviner combien l'entreprise était grave.

— Bonjour! lança-t-elle, la voix pleine de cette gaieté explosive qu'elle semblait seule à posséder.

Maybel observa William Grant pendant qu'il l'aidait à hisser sa barque sur la grève. Le masque couvrait toujours plus de la moitié du visage, mais dans l'ouverture ménagée pour la bouche, les lèvres semblaient sourire et quelque part dans l'eau sombre des yeux, une joie bien réelle pétillait. Trop heureuse, Maybel prit la main de son étrange voisin et ils avancèrent ainsi sur la batture sablonneuse.

Il n'eut pas à l'avertir. Elle comprit en apercevant de loin les silhouettes fragiles éparpillées dans les marelles et parmi les herbes folles. Chaque bruit, chaque geste prenait de l'importance. Heureusement, le vent soufflait vers eux. Maybel savait que c'était mieux.

Une dizaine de grands hérons se gavaient d'insectes et de petits poissons portés par la marée. Maybel et son compagnon épièrent longtemps la marche lente des grands oiseaux, les hautes pattes effilées, les becs plongeants, les longs cous mobiles, révélant puis camouflant l'aigrette. Un peu à l'écart et parfaitement immobile, un héron ouvrit le bec, happant soudainement une proie avec une rapidité effarante.

Les vents durent tourner. Il n'y eut pas un seul bruit d'avertissement et pourtant, dans un même mouvement, en parfait accord, les cous se tendirent et d'immenses ailes s'élevèrent dans le ciel.

« Cinquième trésor », murmura Maybel sans que son compagnon l'entende.

La journée n'était pas terminée. Alors même qu'ils se dirigeaient vers la barque, ils virent un cormoran près du rivage, sur un récif que la mer avait presque inondé.

William Grant s'accroupit dans les herbages et Maybel l'imita.

« Sixième trésor », lui chuchota-t-il à l'oreille.

Cette fois, ils restèrent encore plus longtemps sans bouger pendant que l'oiseau, grimpé sur la plus haute roche, offrait ses larges ailes à sécher au soleil et au vent. Béatrice avait déjà expliqué à Maybel que le cormoran, pourtant si beau, si noble, souffrait d'un curieux handicap. Ses plumes étant peu imperméables, lorsque ses ailes se gorgeaient d'eau, il n'arrivait plus à voler. C'est pour ça qu'on le trouvait si souvent arrêté sur un récif, les ailes déployées, l'air accablé, attendant patiemment de pouvoir repartir.

Maybel avait souvent observé des cormorans séchant leurs ailes. Mais cette fois, peut-être parce qu'elle s'était arrêtée, parce qu'elle était restée si longuement attentive, elle eut l'impression de ressentir en elle-même la tristesse du cormoran. Et lorsque l'oiseau, sentant enfin ses ailes allégées, les secoua plusieurs fois avant de prendre son envol, Maybel découvrit que c'était complètement différent du départ des hérons juste avant. Elle avait été déçue de ne plus pouvoir épier les grands oiseaux bleus, alors que, cette fois, elle applaudissait de tout cœur l'envol du cormoran enfin consolé.

Maybel se tourna vers son compagnon.

— J'ai compris votre ressemblance avec cet oiseau, dit-elle.

Il la considéra un moment.

— Les cormorans ne sont pas malheureux, répliqua-t-il en esquissant un petit sourire. Mais ils sont condamnés à vivre avec leur handicap.

Pendant qu'ils traversaient la batture, Maybel demanda :

— Il y a quelques années, quand mon père vous a trouvé près de l'enclos des renards, étiez-vous simplement malheureux ?

William Grant ne répondit pas. Maybel craignit de l'avoir fâché. Mais alors qu'elle fixait les rames de sa barque, il vint s'asseoir dans l'embarcation encore montée sur la grève.

— Parfois, je rêve qu'il n'y a jamais eu d'accident, dit-il. J'ai grandi et mon visage est intact. Tout est encore possible. Je me réveille avec cette fausse identité et il me faut quelques secondes, quelques minutes parfois, pour me souvenir du masque. Alors, ma peine est bien plus grande que celle du cormoran. Il m'arrive de gémir comme un animal sauvage, recroquevillé sur moi-même en attendant la nuit. La dernière fois que j'ai éprouvé un tel désespoir, votre père m'a surpris...

Maybel fut bouleversée par ces paroles, mais elle s'efforça de ne pas trop le montrer. William Grant reprit alors le récit de sa vie là où il s'était arrêté.

— Ma mère a tout fait pour que je vive normalement, raconta-t-il. Mais c'était impossible. Malgré mon masque, les autres enfants hurlaient à mon approche. Et même si tout le voisinage savait que j'avais été défiguré lors d'un accident de chasse, on aurait dit qu'ils craignaient que je ne sois contagieux. J'ai cessé de fréquenter l'école. Ma mère engagea un tuteur, mais c'est avec elle que j'ai le plus appris. Le maître m'enseignait la philosophie, les mathématiques, les sciences. Ma mère m'enseignait la lecture et la vie. C'est elle qui m'a fait découvrir Balzac, Stendhal, Dumas, Laclos, Hugo…

Devant l'air dérouté de Maybel, il expliqua :

— Ce sont tous des écrivains de France. Mais j'en ai lu d'ailleurs, aussi. Au début, ils m'ont servi de radeau… Après… c'était différent…

Il fit une longue pause avant de poursuivre :

— Mon père ne pouvait supporter de me voir sans masque. Et même ainsi, il avait du mal à me regarder. Lui, l'homme aux trophées, avait pour fils unique, pour seul héritier, un être diminué. Je l'avais entendu dire à ma mère qu'il ne s'habituerait jamais « à cette tête de monstre sur un corps si parfait ». Comme si le contraste décuplait l'horreur. Comme s'il aurait préféré que je sois mutilé de la tête aux pieds… Dans son univers de chasseur, Oswald Grant avait réussi, ses trophées en témoignaient, mais dans sa vie de père, il lui semblait avoir tout raté. J'étais son seul cerf et mes bois étaient brisés.

«Nous avions une maison de campagne au bord de l'océan. Ma mère et moi y séjournions souvent. Lorsque mon père revint d'un long voyage en nous annonçant que nous déménagions en Amérique, je ne fus pas déçu. J'aimais déjà la nature, les grands espaces. J'abandonnais donc sans regret notre château de Greenock, persuadé que la mer, le ciel et les animaux d'Amérique me combleraient davantage.

«Aux derniers jours de la traversée, alors que ma mère se vidait de son sang après avoir expulsé d'horribles débris de son ventre, j'ai eu l'impression de mourir avec elle. Elle était la seule à m'aimer sans masque. Je l'enlevais toujours la nuit et parfois aussi quand j'étais sûr d'être seul. Lentement, du bout des doigts, j'explorais ce territoire caché, j'essayais de m'apprivoiser. Ma mère s'en aperçut et elle prit l'habitude de venir dans ma chambre, tard le soir et parfois même la nuit. Elle rentrait sans bruit, s'asseyait à mon chevet et, de ses belles mains douces et parfumées, elle caressait lentement mon visage, sans rien éviter, parce qu'elle m'aimait tout entier.»

Oswald Grant ne s'était pas remis de la mort de sa femme. Il avait découvert trop tard combien elle lui était précieuse. Entre les expéditions de chasse, les renards, les voyages et l'alcool, il n'avait jamais retrouvé le moindre semblant d'équilibre. Il lui restait un fils, mais il était incapable de s'en approcher. Et le regard des autres sur William l'affolait. Oswald Grant ne pouvait supporter l'horreur qu'il lisait dans leurs yeux. Alors il cachait son fils.

— Et j'accepte que ce soit ainsi, dit le jeune homme. Parce que ça ne m'enlève rien. Et parce que j'ai compris combien c'est important pour mon père. Il a bien plus besoin que moi d'être protégé. Ma mère m'a légué sa *force. C'est un héritage d'une valeur inouïe. Il m'arrive parfois de me laisser abattre, votre père en a été témoin, mais je suis un homme solide... et presque heureux.*

Maybel avait eu dix-sept ans à la fin du printemps. Au cours de l'été, elle alla souvent voir son père à l'île Bicquette, mais elle y passait rarement la nuit et elle n'annonçait jamais ses visites. Il y avait beaucoup à faire à la ferme, mais le Quêteux besognait comme deux, l'engagé ne se débrouillait pas trop mal et Béatrice abattait plus que sa part de travail. Si Maybel hésitait à s'absenter longtemps, c'est parce qu'elle craignait de manquer un rendez-vous avec William Grant.

En août, le fils du charron lança des invitations pour une épluchette de blé d'Inde. Maybel accepta avec plaisir et je promis moi aussi de venir. Mon frère Guillaume se joignit à nous. Il nourrissait des espoirs face à Maybel et il n'était pas le seul. Malgré les rumeurs sur sa tante et le Quêteux, et même si on disait encore que sa mère était une femme de mauvaise vie, plus d'un jeune homme rêvait d'épouser la Belle. Eugène Rioux en faisait partie.

En fin de soirée, quand tous les épis furent épluchés et bon nombre mangés, quelques jeunes gens sortirent leurs instruments. Lorsque Maybel se mit à danser, il me sembla que l'air se chargeait de dynamite. Elle tournoyait avec le fils Turcotte, heureuse et insouciante, sans deviner les passions qu'elle allumait. Mon frère s'approcha bientôt pour avoir son tour, mais le fils Rioux l'intercepta. Eugène Rioux avait bu et il semblait animé d'une ardeur malsaine.

— Pousse-toi ! lança-t-il à Guillaume en le rudoyant.

Le fils Rioux s'était déjà emparé du bras de Maybel lorsqu'il ajouta d'un ton grivois :

— Si t'es en manque, va voir la tante !

Maybel s'immobilisa. Rioux tenta de l'entraîner avec lui, mais elle se dégagea brusquement et recula de plusieurs pas, les yeux agrandis par l'horreur.

— Explique-toi, Eugène Rioux, lança-t-elle d'une voix blanche.

Rioux jeta un regard à la ronde, cherchant appui parmi les autres jeunes gens. Henriette Dionne, la fille du notaire, une grande perche avec des yeux ronds qu'aucun garçon ne semblait pressé de réclamer, vint à la défense de Rioux.

— C'est quand même pas la faute à Eugène si la sorcière laisse le Quêteux lui faire des affaires que le bon Dieu voudrait pas voir, dit-elle.

Je m'étais approchée de Maybel.

— Viens ! la suppliai-je. On s'en va...

Elle m'éloigna d'un geste et laissa courir son regard de braise, sondant les cœurs autour d'elle, comme pour évaluer l'ampleur des médisances dont sa tante et le Quêteux étaient victimes. Ce qu'elle découvrit ne la rassura guère.

— Vous êtes malades ! lança-t-elle avec dépit. Durant toutes ces années, vous avez été assez bêtes pour imaginer ma tante en jeteuse de sorts et il y en a même qui ont osé dire qu'elle s'était débarrassée de son mari. Je ne comprenais pas pourquoi ma tante ne se forçait pas plus pour apporter des démentis. Mais là, c'est tout vu. C'est bien normal que Béatrice ne veuille rien savoir de vous et qu'elle préfère rester seule dans notre anse.

Maybel marqua une pause. La colère enflait sa voix et elle tremblait. De peine autant que de rage.

— Ma tante a compris que vous n'en valez pas la peine! cracha-t-elle.

Les meilleurs baissèrent la tête, penauds. Les autres firent mine de la défier, mais sans oser affronter son regard. Maybel n'avait pas fini.

— Béatrice ne viendra jamais se défendre, mais moi, je vais vous le dire. Et rien qu'une fois. Y a pas meilleur homme que le Quêteux. Y a pas plus gentil ni plus respectueux. Il n'aurait jamais rêvé de toucher à ma tante. Et elle n'aurait jamais imaginé que ce bon gros géant qu'elle aime comme un enfant voudrait la dégrader. Ce que vous avez colporté sur eux, vous et tous ceux de votre famille, me blesse et vous déshonore.

Un bruit de sabots fit tourner les têtes. Je reconnus immédiatement la jument d'Alban et leur petit tombereau quittant le sentier de la ferme Turcotte dans un nuage de poussière. Une silhouette massive guidait l'attelage.

C'était le Quêteux.

Le Quêteux avait promis de ramener Maybel après un long arrêt à la forge. Ce qu'il entendit lui donna un tel coup au cœur qu'il abandonna Maybel, fouettant les chevaux pour fuir les paroles qui cognaient dans sa tête.

Il laissa l'attelage un peu plus loin et continua sa route à pied. Jusqu'où ? On ne l'a jamais su. Personne ne revit le Quêteux.

Alban quitta l'île Bicquette. Arraché à son ciel de rêve, il retomba dans la dure réalité. Béatrice aurait pu, bien mieux que lui, continuer à s'occuper de la ferme avec un ou deux engagés. Mais Alban savait que sa jumelle avait besoin de lui. Comme tous ceux qui se fabriquent une carapace, Béatrice était vulnérable. Cette dernière rumeur avait détruit l'espoir et la confiance qui avaient lentement recommencé à croître en elle. Et elle lui avait ravi un merveilleux ami.

Ce fameux soir, après la fuite du Quêteux, Guillaume et moi avions raccompagné Maybel chez elle. Lorsque nous avions découvert l'attelage abandonné, j'étais montée dans le tombereau avec mon amie, et Guillaume nous avait suivies jusqu'à la petite ferme de l'anse à Voilier. Je devinais que le Quêteux avait fui. Maybel savait déjà qu'il ne reviendrait plus.

Le lendemain, maman trouva quelqu'un pour me remplacer au magasin afin que je puisse rendre visite à Maybel. Tout au long du trajet, je me demandais quels mots, cette fois, parviendraient à étancher la colère et atténuer la peine de mon amie. En arrivant à l'anse à Rioux, je m'arrêtai pour contempler le paysage. De là, on voyait mieux qu'ailleurs ces montagnes et ces islets qu'un ange vêtu d'un long manteau de soie bleu avait éparpillés, sculptant un rivage comme nulle part ailleurs. C'est alors que je vis le fanion rouge flottant à la pointe aux Épinettes. Le cœur plus léger, je rebroussai chemin, sachant que Maybel serait à son rendez-vous. Je me souviens aussi d'avoir secrètement remercié le ciel de nous avoir envoyé William Grant.

Ce jour-là, dès qu'il aperçut Maybel, le fils de l'Écossais comprit qu'elle vivait un drame. Maybel avait le cœur en miettes et une rage sourde bouillonnait dans ses veines. Par défi ou par fureur, elle ne s'était pas déguisée en homme. Elle avait débarqué à la pointe aux Épinettes vêtue d'une simple robe bleue, et j'imagine bien qu'après toutes ces heures de fréquentation avec une femme épouvantail William Grant dut être troublé à la vue de cette frêle silhouette.

Ils longèrent le rivage en direction du marais salé. Lui devant, elle derrière. L'été était déjà avancé, mais des grappes bleues fleurissaient encore sur des tiges poussiéreuses parmi les galets. Un ruban de goémon auquel se mêlait une foule de petits débris rejetés par la mer dessinait une frontière sombre à mi-hauteur sur la plage. Le soleil arrachait des odeurs troubles à la mousse et aux algues. En se retirant, la mer avait constellé la plage de marelles. Le fils de l'Écossais s'agenouilla près de l'une d'elles.

Maybel dut hésiter un peu. Elle ne craignait pas de se mouiller, seulement, elle n'avait le cœur à rien. Elle s'installa malgré tout comme son compagnon. Il s'intéressait à de minuscules escargots de mer agrippés à une paroi rocheuse. Quelques-uns se déplaçaient très lentement en laissant derrière eux une empreinte délicate, à peine perceptible. Dans une autre marelle, tout près, Maybel découvrit des poissons nains frétillant dans l'eau tiède. Elle trouva d'autres escargots et décida de les étudier plus longuement.

Elle eut bientôt envie de sentir sous son doigt la coquille froide, délicatement ciselée. Lorsqu'elle toucha au petit mollusque, il affermit sa prise sur le roc. Maybel parvint quand même à le déloger, mais elle fut surprise par la résistance de ce minuscule animal qui ne semblait pourtant guère plus vivant qu'un petit caillou.

Son compagnon s'était avancé dans la mer. Maybel le suivit, explorant de ses doigts, comme lui, la forme et la texture des plantes marines. Elle découvrit des algues rouges et d'autres roses, de longs rubans noirs satinés, de minces filaments et de grandes lames souples, criblées de trous. Il y en avait qui tendaient leurs bras fébriles vers le ciel, d'autres s'étalaient paresseusement en remuant à peine. Certaines étaient lisses et froides, gorgées d'eau, d'autres rugueuses, gonflées d'air. Les unes semblaient solidement ancrées, plongeant d'interminables racines dans les profondeurs du sol, d'autres résistaient miraculeusement aux assauts des vagues et du vent.

Maybel se releva en frissonnant, le bas de sa robe collé à ses cuisses. Le soleil avait amorcé sa descente. En marchant vers son compagnon, elle se rendit compte que cette lente exploration l'avait rendue plus sereine. Le monde des humains lui apparaissait sans magie et sans grâce, totalement désorganisé, mais au contact de ce royaume secret, elle recouvrait un peu de foi en la vie.

William Grant cachait quelque chose dans ses grandes mains.

— Choisissez, dit-il.

Maybel parvint à sourire. Elle adorait jouer. Elle réfléchit un peu, désigna la main droite, puis changea d'idée.

Il ouvrit la main choisie, offrant une étoile de mer encore nacrée de pêche et de rose. L'autre main dissimulait un oursin, une de ces créatures ingrates, hérissée de petits piquants.

— C'est dans l'ordre des choses, dit-il en tendant l'étoile de mer à Maybel. Elle vous ressemble...

Maybel examina lentement l'étoile en dessinant du bout des doigts le contour de chaque branche. Finalement, elle la redonna à son compagnon et prit l'oursin.

— On dirait un porc-épic marin, dit-elle sans quitter William Grant des yeux. Si vous me laissez choisir, c'est lui que je prends.

Il parut ému. Juste avant qu'ils se quittent, Maybel lui fit part des médisances du fils Rioux, d'Henriette et des autres et elle lui annonça la fuite du Quêteux. William Grant écouta sans broncher. Il ne posa pas de questions et n'ajouta rien.

Le dimanche après l'épluchette, Maybel, Béatrice et Alban ne se présentèrent ni à l'église ni au magasin général. Pourtant le ciel était superbe. Une semaine plus tard, Alban et Maybel acceptèrent de partager notre repas du dimanche, mais Béatrice refusa de les accompagner. Maybel mangea peu, ce qui était rare. Guillaume tenta de la dérider avec quelques récits cocasses, mais elle ne l'écoutait que distraitement. Dès que cela fut possible, je pris Maybel par la main et l'entraînai dans ma chambre. Ma belle amie avait grand besoin de parler...

Elle me confia que la veille, très tôt le matin, elle avait remis son «costume d'épouvantail» et ramé jusqu'à la pointe aux Épinettes, où elle avait laissé son embarcation. Il n'y avait pas de fanion. Elle le savait déjà avant de partir. Malgré cela, elle avait traversé les terres de l'Écossais et marché sur la flèche de sable jusqu'à l'île aux Plumes.

— J'en avais assez, vois-tu. C'est toujours lui qui décide des rendez-vous. À cause de son horreur de père à qui je souhaite de brûler en enfer ! J'avais envie de voir le fils et je n'ai pas peur du père, mais je n'étais quand même pas pour aller frapper à leur porte... Alors j'ai pensé que j'avais des chances de le trouver sur l'île, si je ne le croisais pas avant. Depuis des jours, je pensais aux nids. Je me demandais toujours si les femelles qu'on avait nourries s'en étaient sorties...

Maybel n'avait pas trouvé son voisin sur son île, mais elle avait fait le tour de tous les nids d'eider pour constater qu'ils étaient vides. Rassurée, elle avait marché jusqu'à la cabane et y était entrée. En découvrant le masque de William Grant sur un caisson au milieu de la pièce, elle avait eu un mouvement de stupeur.

Était-il là ? tout près ? le visage découvert...

Elle voulut l'appeler, mais ne sut comment. Dans sa tête, c'était tour à tour le fils, le voisin, William Grant... Parfois même, la Bête. Elle ne s'était jamais adressée à lui en le nommant.

— Monsieur ? risqua-t-elle d'une voix hésitante.

Dehors, le vent s'était levé. Il sifflait, furieux. Elle attendit encore un peu.

— Mon voisin ?

Les seules réponses vinrent des canards, des mouettes et des goélands.

Maybel savait qu'elle aurait dû partir. La mer avait commencé à monter pendant qu'elle inspectait les nids. Depuis, le ciel s'était dangereusement obscurci et un vent d'est qui n'annonçait rien de bon courbait les arbres. Mais à l'idée que William Grant était peut-être là, tout près, sans son masque de cuir, Maybel ne pouvait se résoudre à quitter l'île.

— Cent fois, mille fois, j'avais eu envie de lui demander de l'enlever, m'avoua-t-elle. Même si j'avais peur. Même si je n'étais pas sûre de ma réaction. J'en rêvais la nuit. Je l'imaginais me montrant son visage. J'espérais qu'un jour il accepterait de se démasquer devant moi. Et si jusque-là je m'étais retenue de le lui demander, ce n'est pas parce que j'avais peur. C'était... par pudeur. Je comprenais que pour lui, c'était un geste... très intime. Parfois aussi je me disais que ce serait peut-être le dernier secret.

Maybel longea le rivage, tous ses sens en alerte. Elle continua de l'appeler, mais la rumeur des vagues enterrait sa voix. Elle chercha son ami parmi les hautes herbes et les bosquets, les arbres et les récifs, et plus loin encore, au pied des falaises. C'est là qu'elle trouva une vieille barque attachée à une arête rocheuse. C'est là aussi qu'elle entendit les grognements et les gémissements.

Maybel devina presque tout de suite ce qui était en cours, car elle avait déjà surpris des animaux. Si elle poursuivit un peu plus loin, c'est parce qu'elle craignait que l'un de ceux qui se livraient à ces ébats n'y soit forcé. Des paroles finirent de la convaincre qu'il n'en était rien. Eugène Rioux et Henriette Dionne semblaient tous les deux parfaitement consentants. Maybel décida de s'éloigner.

Sans doute était-elle malgré tout ébranlée par ce qu'elle imaginait de la scène, car elle trébucha sur une racine et tomba en étouffant trop tard un cri de surprise. Dès qu'elle se releva, elle sut qu'ils l'avaient entendue. Elle se cacha derrière de gros bouleaux, juste à temps pour voir Henriette et le fils Rioux se relever en hâte et rajuster leurs vêtements en jetant des regards inquiets autour d'eux.

— Henriette avait l'air affolée à l'idée que quelqu'un l'ait vue, raconta Maybel. Le fils Rioux s'inquiétait surtout de sa barque et du gros temps qui s'était installé. En voyant la hauteur des vagues, Henriette a commencé à dire que c'était dangereux de repartir, mais Eugène lui a ordonné de se taire.

La barque des Rioux avait déjà pris un peu d'eau. Henriette le mentionna et Eugène la rabroua encore.

— Quelques vagues sont montées trop haut. C'est tout. On n'a rien pour écoper alors embarque tout de suite ou reste, lui cria-t-il.

Henriette prit place dans l'embarcation. Elle devait mourir de peur à l'idée d'être abandonnée sur l'île de la Bête en pleine tempête. Rioux se mit à ramer de toutes ses forces. Il était pressé de regagner le village, mais le vent les déportait vers l'anse de la rivière du Sud-Ouest. Avant qu'ils puissent s'en approcher, Rioux découvrit que sa barque était endommagée et que l'eau montait dangereusement à ses pieds.

— C'est là que l'idiot s'est mis debout dans son bateau et qu'il a commencé à gesticuler comme un fou, une rame à la main. Il devait sûrement crier au secours, mais le vent l'enterrait et il n'y avait pas une âme en vue sur le rivage.

Maybel ne pouvait rien faire. Le fils de l'Écossais n'avait pas d'embarcation sur l'île, car il empruntait toujours la flèche de sable, de l'autre côté. La pluie avait commencé à tomber, poussée par des vents de plus en plus violents. Maybel courut sur le rivage sans perdre de vue les deux passagers en détresse. Leur barque tanguait dangereusement et Maybel parvenait maintenant à entendre les cris d'Eugène mêlés à ceux d'Henriette. Mon amie était aux abois lorsqu'elle entendit des branches craquer à quelques mètres d'elle.

Une ombre glissa dans la mer.

C'était lui.

Ses bras heurtaient l'eau, sa tête disparaissait puis réapparaissait parmi les vagues. Il fonçait vers la barque qui menaçait d'être engloutie à tout moment. Maybel vit Henriette, puis Eugène sombrer dans l'eau. Presque aussitôt, William Grant fut sur eux. Il s'acharna à leur maintenir la tête hors de l'eau jusqu'à ce que la mer les abandonne sur le rivage de l'anse de la rivière du Sud-Ouest. Alors qu'ils se relevaient, toussant et crachant, encore étourdis et apeurés, ils virent le fils de l'Écossais disparaître dans les feuillus.

Maybel retourna à la cabane, mais elle n'entra pas. Elle attendit sous la pluie, près de la flèche de sable, en reconstituant dans sa tête le fil des événements. William Grant était allé sur son île. Se croyant seul, il avait retiré son masque. Puis il avait découvert la présence de sa voisine. Alors il s'était terré, comme une bête. Pour ne pas semer la peur, pour ne pas révéler son visage.

Il avait dû hésiter avant de secourir le couple en détresse. L'entreprise était risquée, même pour un bon nageur, et il ne portait sûrement pas Eugène et Henriette dans son cœur après ce que Maybel lui avait raconté. Surtout, il devait être mortifié à l'idée qu'ils puissent voir son visage.

Et pourtant, il avait plongé.

La pluie cessa et les vents s'apaisèrent, mais le ciel resta aussi gris que les pierres. Maybel avait honte d'être venue. Honte d'avoir forcé son ami à se cacher. Elle décida qu'il valait mieux partir. Avant de traverser jusqu'à l'autre rive, Maybel trouva une grosse branche et traça lentement quelques lettres dans le sable :

« Pardon », écrivit-elle, en espérant que le vent et la mer épargneraient son message. Maybel se promit de ne plus jamais chercher à revoir son ami sans sa permission.

Pendant des semaines, il n'y eut pas de fanion. Et personne ne vit Oswald Grant au village. Un domestique vint plusieurs fois au magasin, muni d'une liste. Je remarquai qu'elle n'était pas écrite de la même main que les précédentes et j'en parlai à Maybel.

— Le vieux est peut-être malade, alors son fils doit rester à son chevet. Ça expliquerait tout, non ? Et puis... William Grant n'est pas ton seul ami...

Maybel me regarda comme si j'avais dit quelque chose d'insensé. Elle m'aimait de tout son cœur, bien sûr, mais à ses yeux, son voisin était unique. Et irremplaçable.

L'automne s'était déjà installé lorsqu'il noua enfin l'écharpe rouge à une épinette. «Huitième secret», murmura Maybel en ramant vers le fanion. Ce jour-là, même si ce n'était pas la saison, le printemps chantait en elle.

Dès que l'embarcation de Maybel toucha le rivage, le fils de l'Écossais monta à bord en repoussant la barque vers le large. Il prit la place du rameur, Maybel s'installa devant. William Grant dut être touché par la joie qui rayonnait sur le visage de Maybel. Était-ce bien lui qui avait allumé ce soleil ? Mû par une inspiration soudaine, il se pencha vers sa compagne.

— J'ai bien lu votre message, dit-il.

Maybel remarqua, encore une fois, combien ses yeux étaient beaux.

Il visa le récif de l'Orignal et s'arrêta un peu plus loin, en pleine mer.

— Je ne promets rien, avertit-il. Il faudra peut-être revenir...

Effectivement, il ne se passa rien. Mais le vent soufflait doucement et la mer frissonnait sous des caresses invisibles. Maybel était si heureuse qu'il ne soit pas fâché, si heureuse qu'il lui ait pardonné et qu'il ait hissé une nouvelle fois le fanion, qu'elle ne demandait rien de plus. Elle songeait aussi avec angoisse qu'à la dixième rencontre, il lui annoncerait peut-être la fin du jeu, la fin de leur amitié. Aussi l'idée de reprendre ce rendez-vous ne l'embêtait pas du tout.

Or, au moment où il saisit les rames pour retourner au rivage, un dauphin fendit l'eau. Puis un autre. Et un autre encore. Un deuxième clan surgit tout à coup. Le fils de l'Écossais était ravi. Un large sourire se profila dans le trou du masque.

Les dauphins effectuèrent quelques sauts de reconnaissance avant d'amorcer leur extraordinaire ballet. Ils formèrent deux groupes bien distincts et s'éloignèrent l'un de l'autre. Puis, comme s'ils avaient été alertés par un signal secret, ils foncèrent droit devant. Au tout dernier moment, alors qu'une collision semblait inévitable, ils bondirent dans les airs. Puis recommencèrent. Encore et encore.

Maybel n'avait jamais vu danser les dauphins. Éblouie, le cœur battant, elle admira leurs prouesses, avec l'impression de pénétrer dans un autre monde. Loin des Rioux. Loin des Turcotte. À mille lieues des rumeurs et des médisances. Infiniment plus près des étoiles d'Alban.

Sur le chemin du retour, William Grant annonça à Maybel qu'il nouerait bientôt son écharpe un jour où le ciel serait un vrai déversoir. Il l'attendrait parmi les joncs, près du marais salé.

Maybel frémit à l'idée que ce serait la neuvième fois.

À nouveau l'automne, puis l'hiver et le printemps

J'eus tout le temps d'épouser François Bouvier avant que le fanion réapparaisse. Dès qu'elle m'entendit prononcer les paroles sacrées, ce « oui, je le veux » dont nous avions tant parlé, Maybel se mit à applaudir à tout rompre, ce qui n'eut pas l'heur de plaire au curé. Béatrice me fit cadeau de sa présence. Lorsque je l'en remerciai, elle me serra affectueusement dans ses bras.

Guillaume dansa souvent avec Maybel, ce jour-là. Peu d'hommes osaient s'approcher de la jeune furie qui les avait si vertement sermonnés le soir de l'épluchette et mon frère en était bien aise. Il osait croire que Maybel lui réservait un statut à part. N'avait-il pas clairement affiché sa complicité en allant la reconduire ce soir-là ? La petite sauterelle de l'anse semblait se lier peu à peu d'amitié avec mon frère, mais je savais que Guillaume espérait beaucoup plus.

Alban avait maigri. Les propos qu'on avait colportés l'avaient affligé encore plus que le départ du Quêteux. Sa fille était son trésor, mais sa jumelle était sa meilleure moitié. Il l'aimait autant que lui-même et sans doute aurait-il renoncé à toutes les étoiles du ciel si quelqu'un lui avait promis en échange de rallumer le feu que Béatrice avait laissé s'éteindre quelque part en elle.

Il pleuvait effectivement à boire debout le jour où l'écharpe rouge fut à nouveau accrochée à la pointe aux Épinettes. Oswald Grant avait été malade, mais il avait recommencé à voyager depuis peu. Il avait investi des sommes importantes dans le commerce des peaux de loups-marins, ce qui expliquait ses fréquents déplacements.

Maybel hissait sa barque sur la grève déjà durcie par le froid lorsque William Grant sembla surgir de nulle part. Sans bruit. Il guida Maybel vers une plage ceinturée de rochers puis disparut sous un petit surplomb.

Maybel découvrit qu'à cet endroit, le rocher se creusait pour mener à une grotte depuis laquelle on pouvait admirer le rideau de pluie, le rivage et la mer. Les sons bondissaient sur les parois rocheuses, amplifiés par un jeu de résonances, si bien que le martèlement de la pluie semblait assourdissant. On aurait dit qu'il pleuvait jusque dans la grotte, qu'il pleuvait sur toute la terre, et que l'écho de cette formidable averse perçait le roc, imprégnait la pierre.

— Bienvenue dans la grotte des fées, dit William Grant d'une voix solennelle.

Il alluma des chandelles fixées aux murs. La cire avait coulé sur les parois et de petites flaques durcies jonchaient le sol. Le fils de l'Écossais venait souvent dans ce lieu. La flamme des bougies dessinait des ombres mouvantes sur les murs, si bien que la grotte semblait hantée. Maybel gratifia son compagnon d'un sourire radieux. Le spectacle était magnifique, l'atmosphère magique. Maybel se laissa envahir par la grâce du moment, entièrement abandonnée à la pluie, et pourtant bien à l'abri dans cette grotte des fées.

— J'aime vos trésors, souffla-t-elle, ardente.

Maybel contemplait le masque de son compagnon dont le cuir luisait à la lueur des flammes.

— J'aime vos trésors... répéta-t-elle. Et Dieu sait que je ne porte pas dans mon cœur tous les humains qu'il a inventés. Mais je n'arrive pas à comprendre pourquoi vous acceptez de vivre toujours caché, loin du monde.

Par crainte de le froisser, elle ajouta aussitôt :

— C'est votre droit... C'est sûr ! Seulement, je trouve ça triste...

— Qu'est-ce que vous trouvez triste ? demanda-t-il.

Maybel réfléchit.

— Que vous soyez... si seul, répondit-elle.

Il éclata de rire. C'était un vrai rire, plein et franc.

— Vous vous trompez, dit-il doucement. Je ne suis pas seul. Je connais plus d'hommes et plus de femmes que vous n'en connaissez et que vous n'en connaîtrez jamais.

Maybel crut qu'il faisait référence à son passé dans son pays d'origine.

— Je parle de maintenant ! précisa-t-elle. J'imagine bien que si vous avez vécu dans une grande ville en Écosse pendant que j'étais dans mon anse, vous connaissez plus de gens que moi. Mais ce n'est pas ça...

— Je vous comprends bien. Je parle d'ici, d'aujourd'hui.

Deux grands yeux mauves trouaient l'espace. William Grant eut un rire que Maybel adora.

— Ce matin, dit-il, j'ai rencontré un roi. Et hier, un prisonnier enfermé par erreur dans une prison maudite. La semaine dernière, j'ai entendu chanter des sirènes. Je connais un homme prêt à se battre contre des moulins à vent et j'ai déjà assisté à des combats sanglants, à des duels terrifiants, à des massacres hallucinants. Mais j'ai aussi vu des lutins courir dans la forêt à l'aube et j'ai épié des amoureux prêts à mourir l'un pour l'autre. Je sais qu'il existe une mer lointaine hantée par une baleine gigantesque qui a grugé le cœur d'un homme. Je sais également que je ne connais rien encore. Et qu'il ne me suffira sans doute pas d'une vie pour découvrir, en plus des hérons et des cormorans, de la pluie, des escargots de mer, des canards et des chevreuils, des étoiles et des lunes, tous les personnages qui ont le pouvoir de vivre dans mon cœur et dans mon esprit.

La pluie crépitait toujours.

— Montrez-moi, supplia Maybel, fouettée par ces paroles.

— Bientôt, promit son compagnon.

La première neige tomba. Et puis une autre encore. Guillaume était amoureux de Maybel. Il ne le lui avait pas encore dit et il ne me l'avait pas confié non plus, mais c'était flagrant. Le plus étrange, le plus incroyable, c'est que Maybel ne le soupçonnait même pas.

François était retourné au chantier. Au printemps, nous allions partir vers l'ouest. J'aurais voulu, avant de quitter ce pays où la mer commence, sentir que le bonheur de ma meilleure amie était mieux assuré. Guillaume était plein d'énergie et il avait le cœur bien accroché, mais Maybel représentait encore un mystère pour moi. Je me demandais comment elle réagirait si Guillaume se décidait à lui faire la grande demande. Je savais aussi que mon frère n'avait aucune idée de tous les secrets, toutes les surprises, toutes les tempêtes que dissimulait la frêle silhouette de Maybel. L'aimerait-il tout autant s'il osait s'aventurer plus loin, s'il acceptait de voir autre chose que son corps gracieux, son sourire enchanteur et ses yeux ensorcelants ?

À la troisième tempête, l'écharpe réapparut. Maybel dut avancer dans un océan de flocons jusqu'à la pointe où le vent tordait les épinettes. C'était le dixième rendez-vous. Maybel ralentit le pas en songeant que c'était peut-être le dernier.

Il l'attendait sous un arbre. Son masque humide et froid épousait mal les contours du visage, mais Maybel s'était habituée à ne pas trop y faire attention.

Ils marchèrent vers le cap Enragé, plongés dans le silence de ce début d'hiver, encore étonnés de ne pas entendre les cris des mouettes et des goélands. Des mésanges et des sittelles s'excitaient un peu à leur approche, puis plus rien.

Maybel fut surprise lorsqu'ils dépassèrent le sentier menant à l'île aux Plumes. William Grant se dirigeait vers le manoir. Maybel avait appris qu'Oswald Grant était parti en direction de Québec quelques jours plus tôt. Sachant qu'ils ne risquaient pas d'être surpris par l'Écossais, elle prit le temps d'admirer le paysage. Vu de l'anse aux Bouleaux, le cap Enragé semblait beaucoup moins redoutable. Ce n'était qu'une masse solide, protectrice et bienveillante. Vers l'ouest, un mur de falaises semblait vouloir décourager les passants de pousser jusqu'à la pointe aux Épinettes, là où, dix fois déjà, William Grant était allé nouer l'écharpe rouge ayant appartenu à sa mère.

Ils atteignirent le manoir. Le fils de l'Écossais se tourna vers sa compagne et, cette fois encore, Maybel crut déceler un sourire dans l'ouverture du masque. Il observait avec amusement sa voisine accoutrée comme toujours des vieux vêtements de son père.

— Maybel l'épouvantail... murmura-t-il.

Il s'approcha lentement et, sans ajouter un mot, il déboutonna la veste qui avait appartenu à Alban et l'épaisse chemise que sa voisine portait dessous.

Maybel fut prise d'un grand tremblement intérieur. Elle resta un temps captive de cette émotion, puis, comprenant que son déguisement n'était plus nécessaire, elle se débarrassa du pantalon et de la corde qui lui servait de ceinture. Elle ne portait plus qu'un châle de grosse laine sur sa robe bleue. La neige tombait toujours.

— Notre manoir est vaste et riche, mais je le trouve triste et froid. Aujourd'hui, votre présence l'illuminera.

Maybel fut soufflée. Jamais auparavant le fils de l'Écossais n'avait parlé de cette manière. Avec des mots graves et tendres. Qui la désignaient. Elle. La petite sauterelle de l'anse.

Elle suivit son hôte dans le manoir qu'Alban lui avait déjà décrit. Son père avait raison. Tout ici était différent. Tout était immense. Elle reconnut le long couloir au bout duquel Alban avait passé une nuit, mais William Grant prit plutôt vers la gauche. Deux domestiques les saluèrent en inclinant délicatement la tête. William leur parla en anglais. Il sembla à Maybel qu'ils n'étaient pas surpris de sa présence et qu'ils paraissaient même heureux de la voir.

Le fils de l'Écossais poussa une large porte et fit entrer Maybel dans une pièce où un mur entier disparaissait sous des armes. Des fusils de toutes sortes mais aussi des dagues, des épées, des lances.

— J'ai toujours aimé la chasse, déclara-t-il en roulant des yeux menaçants.

Maybel mit quelques secondes à comprendre qu'il se moquait d'elle. Cette étrange collection appartenait à Oswald Grant. Maybel frissonna en songeant à lui.

Deux autres murs étaient décorés de trophées. Des têtes empaillées de cerfs, de mouflons et d'antilopes, une dépouille de lynx et deux autres d'ours. Au centre trônait une hure redoutable, l'horrible tête d'un sanglier aux yeux exorbités, la gueule ouverte sur des crocs meurtriers. Maybel eut l'impression que toutes ces bêtes l'avertissaient d'un danger imminent. Elle découvrit aussi, sur une table basse, le petit renard roux à la patte déchiquetée qu'Oswald Grant avait lui-même naturalisé. L'animal semblait tenir debout par miracle et les traces de blessure restaient apparentes.

William Grant remarqua que sa compagne n'était pas rassurée.

— Venez ! dit-il en lui tendant la main.

Il l'entraîna vers une porte qu'elle n'avait pas remarquée. Maybel avait cru que cette grande salle constituait la dernière pièce du château. Or, elle s'ouvrait sur un lieu extraordinaire. Tous les murs étaient tapissés de livres et le sol jonché de coussins. Une seule fenêtre, étroite et haute, laissait pénétrer la lumière.

Maybel était émerveillée. Après le vaste salon aux murs froids, cette petite bibliothèque secrète lui apparaissait comme un paradis de cuir, d'or et de papier. Elle ferma les yeux et inspira profondément. Les livres avaient une odeur qu'elle ne connaissait pas. Du bout des doigts, elle effleura les reliures mystérieuses en songeant aux prisonniers, aux sirènes, aux amoureux éperdus, aux lutins et aux baleines que son compagnon avait évoqués.

— Me comprenez-vous mieux, maintenant ? demanda-t-il. Je ne suis jamais seul ici. Ces murs disent toutes les passions. Ils sont remplis de magie et de rage. Et au regard des hommes et des femmes qui peuplent ces pages, je n'ai rien de repoussant.

En l'écoutant, Maybel contemplait son masque. Elle aurait pu étirer un peu le cou et glisser son regard dans la fente, sous le cuir, pour tenter de voir ce qu'il dissimulait. Il lui semblait qu'elle n'avait jamais été aussi près de son voisin.

Dans cette grotte de mots et de papier qui lui apparaissait soudain comme le plus prodigieux de tous les trésors, Maybel avait follement envie de caresser du bout des *doigts le visage de son compagnon. Elle aurait voulu, avant même qu'il l'aide à découvrir toutes ces histoires horribles et formidables, faire glisser le masque de cuir.*

William Grant prit les mains de Maybel dans les siennes.

— Fermez les yeux, chuchota-t-il.

Maybel obéit. Il pressa doucement les paumes de son invitée sur les reliures de cuir.

Maybel laissa la chaleur des larges mains pénétrer sa peau. Elle fut alors saisie par le parfum de son compagnon. L'odeur fauve du masque de cuir mêlée à un bouquet de forêt, de terre, d'eau et de ciel. Tous les effluves ensorcelants du territoire qu'il habitait.

— Choisissez un livre, souffla-t-il.

Maybel sentait dans son cou l'haleine chaude de William Grant et, sous ses doigts, une mer de mondes possibles. Elle fut prise d'un merveilleux vertige.

— Vous les connaissez... et moi pas. Choisissez... Ouvrez-en un pour moi, murmura Maybel d'une voix que le désir rendait suppliante.

Des cris retentirent. Il y eut un fracas d'objets brisés puis des portes claquèrent. Un courant glacé envahit la petite pièce dont la porte était restée ouverte.

Oswald Grant était revenu plus tôt que prévu. Peut-être même avait-il uniquement fait semblant de partir afin de les épier.

William posa ses mains sur les épaules de Maybel et les serra ardemment.

— Restez ici ! Promettez-moi de ne pas bouger. Et n'ayez pas peur ! Je vous en supplie, dit-il avant de la quitter.

Maybel se blottit contre le mur de livres. Oswald Grant était dans la pièce à côté. Elle ne pouvait le voir, mais elle l'entendait vociférer dans une langue à laquelle elle ne comprenait rien.

Une table fut renversée, puis des objets tombèrent sur le sol dans un bruit de métal. Songeant à toutes ces armes, si près, Maybel imagina le pire et, sans réfléchir à sa promesse, elle se précipita hors de la pièce.

Oswald Grant martelait le torse de son fils à coups de poing en hurlant de rage. Plus haut et plus large que son père, William le fixait, impassible.

Soudain, il aperçut Maybel. Une vive inquiétude s'empara de lui. Son père le remarqua aussitôt. Il se retourna et découvrit Maybel.

— J'en étais sûr ! aboya-t-il en fonçant vers elle.

William Grant bondit dans la même direction pour s'interposer entre son père et Maybel, fusillant cette dernière d'un regard lourd de reproches.

Secrètement, mon amie avait souvent espéré ce moment. Elle avait rêvé de pouvoir crier sa colère à ce père cruel. Le traiter de bourreau et de geôlier, le forcer à grands coups de paroles à libérer son fils, à détruire cette Bête qu'il avait créée. Mais, dans cette grande salle, devant son compagnon déçu, alors même qu'elle était accablée par la haine de l'Écossais, Maybel se sentit tout à coup horriblement démunie.

Oswald Grant respecta la barrière imposée par son fils. Il dévisagea Maybel sans pitié, remarquant à peine ses yeux aussi mauves qu'un ciel d'août, à la fois implorants et apeurés. Puis il scruta le visage de son fils et y lut tout ce qu'il avait craint.

Son fils était amoureux ! C'est ce qu'il avait tant redouté, ce qu'il avait, plus que tout, tenté d'éviter. Parce que, à ses yeux, c'était grotesque. Une femme ne pouvait aimer cet homme défiguré.

— Regardez-le ! ordonna-t-il à Maybel. Ses yeux parlent ! Lisez !

Oswald Grant semblait faire face à une vision cauchemardesque.

— Il vous aime ! hurla-t-il, terrifiant.

Maybel écarquilla les yeux, muette d'étonnement.

— Il vous aime ! répéta l'Écossais. Comme un idiot. Comme votre père a aimé votre mère. La traînée ! L'allumeuse ! Vous êtes pareille. Sauf qu'elle était assez idiote pour séduire un pauvre homme qui n'avait rien à offrir, alors que vous êtes beaucoup plus maligne...

Maybel crut défaillir. Elle avait entendu que William Grant l'aimait et en fouillant dans l'eau noire de ses yeux, elle n'avait pas trouvé de démenti. Elle n'avait pu éprouver ni joie ni déception parce qu'en même temps, on la comparait à sa mère, cette femme ouragan qui avait tout détruit sur son passage. Elle avait saccagé le cœur d'Alban. Et le sien.

William Grant s'approcha. Il ne pouvait tolérer que Maybel souffre devant lui, mais il était impuissant à faire taire son père. Et il lui était impossible de nier qu'il aimait Maybel. Depuis la toute première fois qu'il avait aperçu cette petite fée aux yeux de la même couleur que la lavande qui pousse près des marais salés, depuis la toute première fois qu'il avait senti, comme un soleil sur sa peau, cette joie fabuleuse qui irradiait d'elle, William Grant savait qu'il l'aimait. C'était sa plus grande certitude.

Il s'était pourtant juré de ne jamais s'attacher à une autre femme que sa mère. Elle seule l'avait aimé sans masque, mais c'était un miracle de la maternité. Il ne pouvait espérer autant d'une autre femme. William Grant s'était consolé en songeant qu'il y avait bien assez d'intrigues, heureuses et malheureuses, dans les pages reliées sous les couvertures de cuir. Et pourtant, c'était arrivé. Il était éperdument amoureux de la fille du gardien de phare de l'anse à Voilier.

Au début, il avait tenté de se convaincre que ça ne comptait pas vraiment. Maybel était si unique. C'était comme aimer une fée. Puis il avait inventé ce jeu. La course aux trésors. Dix rencontres. Il ne pouvait lui montrer son visage, mais il pouvait tenter de lui faire voir le monde avec ses yeux. Au fil de ces rendez-vous, il avait découvert qu'il ne pouvait plus imaginer sa vie sans elle. Alors il avait conçu cette dernière étape qui s'ouvrait sur un monde infini. Il lui lirait des pages et des pages. Dans la grotte des fées ou au bord du marais salé, sur les battures comme en pleine mer, au pied du cap Enragé ou au bout du monde. Il n'y avait pas d'autres fins possibles. Leur histoire devait durer. Mais s'il ne voulait pas que Maybel se brise, s'il ne voulait pas que son cœur éclate, il devait la convaincre de ne pas écouter les paroles méprisables de son père. Plus tard, il la couvrirait de mots tendres et réparateurs.

Maybel tremblait de tous ses membres. William Grant lui tendait sa main mais elle était pétrifiée par le père. L'Écossais comprit qu'il avait prise sur elle. Ignorant son fils, il s'avança vers Maybel.

— Regardez-le ! cracha-t-il d'une voix démente. Il vous aime ! Regardez-le encore ! Et dites-moi que vous l'aimez. Lui. La Bête. Dites-moi que vous n'avez pas tout fait pour le séduire simplement parce qu'il est assez riche pour acheter tout votre misérable village. Vous vous trompez ! La fortune dont il héritera est encore plus colossale que tout ce que vous pouvez imaginer. Alors, dites-moi, jeune fille, que c'est bien le visage de mon fils et non sa fortune qui vous passionne.

Maybel n'avait jamais assisté à un tel déferlement de hargne. Elle n'avait jamais imaginé que le cœur d'un seul homme puisse contenir tant de fiel. Oswald Grant la terrorisait.

L'Écossais hurla encore une fois la même petite phrase obsédante.

— Regardez-le !

Maybel leva les yeux vers William Grant. L'Écossais tendit alors un bras vers son fils et arracha brutalement son masque.

Un effroyable silence tomba. Puis, Maybel poussa un cri de stupeur.

Elle avait vu le visage troué. La chair détruite. Le cratère à la place d'une joue. Le nez rongé par la poudre explosive.

Ce que dissimulait le masque était encore plus horrible qu'elle ne l'avait imaginé.

Mais juste au-dessus, il y avait deux cercles immenses, d'une beauté foudroyante. Ces yeux plantés au-dessus des plaies ne se contentaient plus d'émouvoir, ils inondaient le visage. Plus rien n'existait que cette soie sombre, ce velours obscur, cette eau noire chatoyante.

William Grant recula, déchiré par le cri de Maybel.

Elle entendit le rire hystérique d'Oswald Grant et vit le fils enfouir son visage dans ses mains.

Elle voulut parler. Expliquer. Mais aucun son ne sortit de sa bouche.

— Partez ! hurla William Grant. Partez ! Et ne remettez jamais les pieds ici.

Maybel leva un bras pour prendre appui contre une surface ferme. Au lieu, elle sentit la poigne d'Oswald Grant se refermer sur son bras. Il la poussa hors de la pièce et la traîna sans ménagement dans le couloir jusqu'à la porte du manoir, qu'il referma bruyamment derrière elle.

Maybel arriva chez moi à la brunante, les yeux hagards, les lèvres bleuies par le froid, sa robe bleue et son châle couverts de neige.

Ma sœur Camille lui ouvrit la porte. Elle eut un mouvement de recul en apercevant cette petite femme hébétée qui semblait avoir été abandonnée par un tourbillon de neige. Camille imagina tout de suite que Maybel s'était égarée comme tant d'autres en pleine tempête.

Ma pauvre amie n'avait guère eu conscience du vent en rafales perçant ses vêtements et de la neige glacée qui fouettait son visage. Elle avait avancé comme dans un cauchemar, insensible au reste du monde, entièrement occupée par la simple tâche de continuer sa route malgré la douleur, de mettre un pied devant l'autre, alors même que toutes les bêtes féroces de toutes les forêts du monde se disputaient ses entrailles.

— T'as même pas de manteau! s'étonna Camille. Qu'est-ce qui t'est arrivé?

Maybel glissa sur le sol.

Guillaume la transporta jusqu'à ma chambre et, avec des gestes d'une douceur que je ne lui connaissais pas, il l'étendit sur mon lit. Puis il attela un cheval pour aller avertir Béatrice et Alban.

Maybel resta trois jours enfermée dans ma petite chambre, luttant contre de violentes fièvres et bien d'autres assaillants. Parfois, la nuit, elle criait si fort qu'on aurait cru qu'une légion de goélands la becquetait vivante. Elle se redressait dans son lit, mue par une angoisse soudaine et répétait, paniquée:

— Regardez-le! Regardez-le!

Béatrice venait tous les jours. Ensemble, nous arrivions tout juste à lui faire avaler quelques gorgées de bouillon. J'étais désespérée et Béatrice également. Papa insista pour faire venir le médecin. Il recommanda des cataplasmes de moutarde et des médaillons de camphre. Nous en avions déjà appliqué maintes fois. Sans succès.

Au quatrième jour, Alban vint remplacer Béatrice. Il avait compris que Maybel s'était fait ravir sa joie. Elle s'abîmait dans quelque repaire froid et sombre alors même qu'elle avait tant besoin de lumière.

Alban contempla sa fille. Elle lui parut faible et sans ressort, le regard éteint. Il marcha jusqu'à la fenêtre, s'y appuya et fouilla longuement le ciel. Puis il parla.

— L'étoile Polaire est plus pâle, ce soir. C'est comme ça depuis des nuits. J'ai idée que quelque part entre le cap aux Corbeaux et le cap à l'Orignal, il s'est passé quelque chose de tellement affreux que les étoiles elles-mêmes en prennent ombrage.

Béatrice et moi avions tenté d'apaiser Maybel en lui répétant que tout allait bien, espérant ainsi l'inciter à revenir parmi nous. Alban avait compris qu'il devait aller chercher sa fille dans l'obscure prison où elle se terrait et, de là, creuser un tunnel jusqu'à la lumière. Il n'y avait pas d'autres façons.

— Pour que le ciel en fasse si grand cas, il a dû se passer quelque chose de vraiment épouvantable, hein, ma fille ? Le genre d'affaire qui nous coupe le souffle, nous scie les jambes. J'ai vécu ça déjà. Je sais comment ça fait mal. On se réveille la cage défoncée, les poumons écrasés, le cœur en lambeaux. Pas vrai ?

Maybel s'était redressée pour mieux l'entendre. Elle buvait les paroles d'Alban comme un rescapé du désert avale une outre d'eau.

— On dirait qu'il n'y a rien pour calmer notre mal. On a l'impression d'être condamné à endurer. Et c'est horrible rien que d'y penser.

Alban fit une pause. Maybel était tout oreilles.

— Il y en a pour qui ça s'arrête là. Mais il y en a d'autres qui lèvent les yeux vers le ciel. Ça prend un petit miracle de courage. Ils ont l'impression d'être à moitié enterrés, ils broient du noir à pleines pelletées et soudain, ils s'étirent le cou. Ils voient alors que le ciel est allumé d'étoiles. Des milliers de petits yeux d'or avec de temps en temps une étoile filante qui vous déchire l'espace d'un grand trait brillant.

Alban s'éloigna lentement de la fenêtre. Il ne s'assit même pas au chevet de sa fille. Avant de partir, il dit seulement :

— Il n'y a que toi qui peux décider, ma belle. Tu peux rester dans ton trou ou t'étirer le cou. Moi, je vais t'attendre dans l'anse.

Cette nuit-là, Maybel fut moins agitée. Le lendemain, elle but le bouillon que maman lui avait préparé et elle mangea du pain. Puis elle dormit encore. À son réveil, elle me raconta enfin ce qui était arrivé à son dixième et dernier rendez-vous. Aujourd'hui encore, après toutes ces années, je me souviens du timbre de sa voix et du poids de son chagrin lorsqu'elle décrivit ce qui l'avait tant marquée.

— Il a cru que j'étais dégoûtée... Que son visage m'épouvantait. Mais ce n'est pas vrai, Florence. Je te jure ! J'étais... pétrifiée. Les cris de l'Écossais et toutes ses paroles cruelles m'avaient jetée à terre. J'étais déjà ahurie quand il a arraché le masque. J'ai vu les trous, les déchirures. C'était laid, mais en même temps, c'était supportable. Je n'ai pas éprouvé de dégoût, parce que ce qui ressortait le plus, c'étaient ses yeux. Imagine un ciel affreux et puis soudain, un soleil au milieu. On ne voit plus que le soleil.

Je ne compris pas tout de suite ce que la perte de son ami signifiait réellement pour Maybel. Et je ne me doutais pas du ravage qu'avaient causé les paroles d'Oswald Grant. Maybel retourna dans l'anse et elle recommença à participer aux travaux d'hiver. Pendant qu'Alban coupait du bois et réparait ses outils, Béatrice et Maybel filaient, tissaient, piquaient, tricotaient et cuisinaient. Béatrice semblait résolue à regarder elle aussi du côté des étoiles. À mon avis, elle n'avait pas pardonné aux mauvaises langues d'avoir fait fuir le Quêteux, mais pour aider sa nièce à retrouver sa gaieté, elle accepta de l'accompagner à quelques veillées.

Guillaume poursuivait Maybel de ses attentions. Lors des repas du dimanche auxquels nos amis de l'anse étaient toujours invités, mon frère tentait de faire rire Maybel ou de l'impressionner. Il se vantait d'avoir abattu un loup-cervier et racontait avec grands détails comment il avait perdu deux orteils en ramenant au village, par un froid à fendre les pierres, un homme du chantier grièvement blessé. Il s'organisait pour faire valoir qu'il était déjà respecté des autres travailleurs, au moulin comme au chantier, malgré son jeune âge, et qu'il n'avait pas peur des responsabilités. Maybel l'écoutait poliment, apparemment insensible à ces exploits, et je me demandais pendant combien de temps encore Guillaume persisterait dans ses avances.

Un soir que les hommes foulaient la laine chez les Dubé en se réchauffant souvent le gosier pendant que les femmes assemblaient les morceaux d'une courtepointe dans la pièce à côté, mon frère osa s'avancer. Maybel aidait gentiment Solange, la cadette des Dubé, qui n'avait pas six ans, à servir des galettes à la mélasse aux hommes. Lorsqu'elle s'arrêta devant Guillaume, il hasarda :

— Si je m'écoutais, je prendrais toute l'assiette et plus encore...

Les hommes éclatèrent de rire.

— Essaies-tu de nous dire que t'as des visées sur ma petite Solange, le jeune ? s'enquit Dubé d'un ton espiègle.

Les yeux tournés vers Maybel, leur aiguille en l'air, les femmes attendaient la réponse de Guillaume, contentes du tour que prenait la conversation.

— La petite Solange est belle comme un ange, répondit Guillaume en frottant la tête de la fillette.

D'une voix plus rauque, il ajouta, en regardant Maybel :

— Mais c'est la Belle de l'anse qui fait battre mon cœur plus vite.

Les hommes poussèrent des exclamations joyeuses.

— J'ai idée que ça va finir à l'église, ça! prédit l'un d'eux.

Maybel était revenue s'asseoir avec les femmes.

— Regardez-la qui rougit! lança Josette Dubé, taquine.

Tous ceux qui étaient présents avaient conscience de l'importance de l'événement. Guillaume venait de se déclarer à Maybel publiquement. J'observai attentivement mon amie. Elle déployait des efforts maladroits pour rester calme, mais je savais qu'elle était aux abois.

Le silence de Maybel fut interprété comme un signe d'encouragement. Guillaume pouvait non seulement continuer de l'aimer, mais espérer aussi atteindre un certain dénouement. Ce soir-là, Maybel resta à dormir dans ma chambre. Béatrice n'ayant pu l'accompagner, il était impensable qu'elle retourne seule à leur petite ferme en pleine nuit. J'avais espéré que mon amie m'ouvrirait son cœur, mais, sitôt couchée, elle fit semblant de dormir et je respectai son mutisme.

Cette même semaine, Henriette Dionne, la fille du notaire, partit précipitamment pour Québec. Une de ses tantes, mère de plusieurs enfants, était gravement malade et Henriette acceptait de s'occuper des petits en attendant que sa parente soit rétablie.

— Ça pourrait prendre plusieurs mois, nous prévint la femme du notaire. Ma belle-sœur n'a jamais été forte. Elle est chanceuse d'avoir une nièce aussi bonne. Ses enfants sont de vrais petits démons!

Sitôt Henriette partie, accompagnée de sa mère «pour l'aider à bien prendre la maisonnée en main», le fils Rioux arriva au magasin avec une tout autre histoire.

— Henriette est grosse, confia-t-il à un voisin sur un ton de confidence, mais assez fort pour que tous entendent. Ses parents n'ont pas envie qu'elle enfle devant tout le monde, ce qui fait qu'elle est allée se cacher à Québec en attendant de retrouver sa taille.

L'annonce cloua le bec de tous ceux qui étaient là, jusqu'à ce qu'Émeline Bélanger ose ajouter d'une voix pleine de sous-entendus :

— C'est vrai qu'à ce que je sache, on n'avait jamais entendu parler de cette fameuse tante.

Encouragé, Eugène Rioux poursuivit son histoire. Il disait savoir qu'Henriette avait subi les assauts de la Bête un jour de tempête alors que sa barque avait été déportée dans l'anse aux Bouleaux. Rioux affirmait avoir lui-même raccompagné la pauvre fille jusque chez elle.

— Sa jupe était déchirée et elle était dans tous ses états. Le fils de l'Écossais est un vrai sauvage. Une bête sans cœur et sans honneur. Moi, à la place du notaire, j'aurais porté plainte, mais sans doute qu'il voulait pas nuire à la réputation de sa fille.

J'étais profondément dégoûtée. J'aurais tellement voulu l'accuser, lui, Eugène Rioux, ce grand nigaud sans scrupule. Mais je ne pouvais le faire sans trahir Maybel.

— Avec ce que tu colportes, Rioux, il y a deux réputations qui vont être drôlement malmenées, dis-je malgré tout.

Il haussa les épaules en marmonnant :

— Tout finit par se savoir. J'ai seulement devancé un brin... Ça peut éviter que d'autres pauvres filles se fassent prendre dans les filets de la Bête. Peut-être aussi que des hommes vont enfin se décider à lui régler son compte, à cette face pourrie.

— T'as raison pour une chose en tout cas, Eugène Rioux, ajoutai-je. Tout finit toujours par se savoir, comme tu dis...

Je m'étais promis de mettre Maybel au courant de cette rumeur. J'attendais simplement le moment. Dix jours plus tard, je n'avais pas encore trouvé l'occasion. C'est alors qu'Oswald Grant s'arrêta au magasin, au retour d'un voyage qui lui avait permis d'établir de nouveaux liens avec des chasseurs de loups-marins. Son fils vivait plus que jamais caché, mais lui-même était souvent en relation avec des chasseurs, des pilotes, des marchands. C'est ainsi qu'il avait eu vent de la faute grave qu'on attribuait à son fils.

L'Écossais s'installa près des tables où des hommes se disputaient une partie de dames. Il sortit une bouteille de whisky d'une poche de son manteau et offrit à boire. Nous étions à quelques semaines de Noël, le carême était loin, aussi plusieurs acceptèrent avec plaisir le «petit remontant». Quand la bouteille revint à lui, Oswald Grant en prit une bonne lampée, puis il s'éclaircit la gorge avant de parler.

— Mon fils n'a pas commis la faute dont on l'accuse, lança-t-il avec rancœur. Il est peut-être laid, mais pas aveugle. Il ne se serait jamais intéressé à la fille du notaire. S'il avait été à ce point désespéré, je lui aurais moi-même trouvé une femme pour l'apaiser. Mais je l'aurais choisie moins bête que cette pauvresse obligée de s'exiler à Québec parce qu'elle n'a pas encore compris comment on s'y prend pour avoir du plaisir sans faire d'enfants.

Si le curé avait été témoin du discours d'Oswald Grant, il serait mort sur place. Les hommes avaient interrompu leur partie de dames, sidérés. Ils étaient curieux de voir jusqu'où irait l'Écossais avec ses propos impudiques. Maman et moi étions les seules femmes présentes. L'envolée d'Oswald Grant nous avait coupé le souffle.

— Mon fils n'a rien à se reprocher, si ce n'est d'avoir failli se faire prendre par une autre femme que vous connaissez bien, poursuivit Oswald Grant d'une voix que la colère enflait. Une allumeuse! Il y a des femmes bien plus dangereuses que la fille du notaire. Elles reniflent les fortunes et rôdent jusqu'à ce qu'elles aient mis le grappin dessus. La fille de l'anse, celle dont la mère s'est sauvée avec le premier marin, a tout fait pour ensorceler mon unique héritier. Mais je l'ai attrapée à temps. Et si jamais je la vois encore renifler l'odeur de l'argent autour de mon fils, je la descends plus vite qu'un loup-marin.

— Wo l'Écossais! On se calme. C'est grave ce que vous dites là! s'insurgea un vieux pilote. Si jamais il arrivait quelque chose à la fille d'Alban, vous seriez bien mal pris après les menaces que vous venez de faire. On n'a pas à savoir ce qui est arrivé à Henriette Dionne. Son père ne s'est pas plaint, ce qui fait que ce n'est pas de nos affaires. Si la Belle a rôdé par chez vous, ça ne l'est pas davantage. Mais admettons que ça m'étonnerait... Elle a déjà un homme à ses pieds. Et elle aurait juste à lever le petit doigt pour en avoir beaucoup d'autres. Sans compter que si elle ressemble le moindrement à son père, c'est pas votre fortune qui va l'émouvoir.

— Vraiment ? rugit Oswald Grant. Alors je délirais le jour où je l'ai trouvée enfermée dans un petit salon avec mon fils. Chez moi ! Et mon plus fidèle domestique doit être bien perdu, puisqu'il a fini par m'avouer que cette Maybel avait fréquenté mon fils en secret pendant des mois. Ils se sont vus à toutes sortes d'heures et dans toutes sortes de lieux.

Cette fois, les hommes furent ébranlés. Maman aussi. Ce soir-là, j'ai dû déployer des trésors de persuasion pour obtenir la permission d'aller visiter Maybel dès le lendemain.

Je la trouvai sur la banquise devant leur ferme, assise sur un petit monticule de neige durcie, emmitouflée dans plusieurs épaisseurs de laine, rêvassant devant la mer glacée. Un léger sourire flottait sur ses lèvres. Je remarquai avec émotion que ça ne lui était pas arrivé souvent dernièrement. Depuis que Maybel avait été chassée du manoir par William Grant, elle promenait un regard vide et semblait vivre en marge du monde. Plusieurs fois déjà, j'avais tenté de la faire parler pour l'aider à apprivoiser ce qui l'avait tant troublée là-bas et que je n'arrivais pas tout à fait à comprendre. Tous mes efforts avaient été vains, Maybel restait enfermée dans sa coquille. Et voilà qu'elle souriait. Enfin !

Je m'approchai doucement, soucieuse de ne pas briser le charme. Elle tourna lentement la tête vers moi.

— J'ai vu un grand oiseau qui ressemblait beaucoup à celui que mon voisin nourrissait, dit-elle, encore perdue dans ses pensées. Avais-tu remarqué, Florence, que les rapaces volent plus haut ? Ils planent, sûrs d'eux, les ailes grandes ouvertes, en se laissant porter par le vent. As-tu déjà souhaité pouvoir voler ? Moi oui. Souvent...

J'aurais tellement voulu lui parler d'oiseaux, de ciel et de vent. Au lieu, je lui racontai la rumeur que Rioux avait colportée et comment l'Écossais l'avait attaquée, elle, en l'accusant d'en vouloir à son argent. Maybel écouta sans broncher. J'avais peur qu'elle ne se soit à nouveau réfugiée dans ses songes, insensible au reste du monde, lorsque je remarquai la goutte sur sa lèvre. Elle n'avait rien dit et son visage était resté de glace, mais elle s'était mordue. Au sang.

J'essuyai sa lèvre du bout de mes doigts.

— À quoi penses-tu ? murmurai-je.

Elle me répondit, comme dans un rêve.

— L'Écossais criait : « Regardez-le ! Regardez-le ! » Alors je l'ai regardé. Et j'ai été renversée. Parce que je l'ai trouvé beau. Malgré les ravages. Et parce que j'ai lu dans ses yeux que ce qu'avait dit son père était vrai. Il m'aimait ! Comprends-tu, Florence ? Il m'aimait avant de me détester...

Elle s'arrêta, explora le ciel. J'ai craint qu'elle ne se taise tout à coup, pourtant elle poursuivit :

— J'ai beaucoup réfléchi. Maintenant, je comprends mieux pourquoi William Grant accepte d'obéir à son père. Pourquoi il préfère vivre caché, malgré le masque qui dissimule son visage. Tu vois, Florence, il a dû travailler tellement fort pour atteindre une sorte d'équilibre, pour se forger un semblant de bonheur malgré le souvenir des cris, des regards horrifiés et des mines dégoûtées de tous ceux qui l'ont croisé depuis l'accident. Lentement, courageusement, il a appris à ne pas se sentir seul parmi les animaux, les astres, les plantes et tous les héros de ses livres. Avec eux, il pouvait oublier les morsures sur son visage. Il devenait pareil à tous les autres humains. J'ai tout détruit, ajouta-t-elle, la voix brisée.

J'allais protester, mais elle m'arrêta.

— Quand j'ai crié, il a cru que je le trouvais laid. Qu'à mes yeux, il n'était qu'une bête repoussante et que la plus belle amitié ne pouvait rien contre l'horreur qu'il inspirait. Sans le vouloir, j'ai semé la pagaille dans sa vie.

J'enlaçai tendrement ma douce amie en souhaitant lui apporter un peu de réconfort. Maybel ne réagit pas. Elle restait enchaînée à ses souvenirs.

— Ma mère a fait pareil avec mon père, ajouta-t-elle. Semer la pagaille dans sa vie... Mais moi, j'ai compris. Je ne ferai pas comme elle. Je ne détruirai plus rien.

Le ton dramatique de ces derniers mots me glaça le dos. Maybel semblait s'être forcée à de redoutables serments. Je me demandais ce qui se cachait derrière cette promesse de ne plus jamais rien détruire.

Le dimanche suivant, après avoir longuement parlé de l'importance pour chacun de se préparer au mystère de la naissance de Jésus, le curé Guimond ajouta qu'à la veille des grandes réjouissances de Noël, chacun devait plus que jamais faire preuve de vigilance, « surtout devant ces jeunesses qui répandent le péché ». Rarement avait-il été aussi clairement accusateur en chaire.

— Combien d'entre vous saviez qu'une de nos paroissiennes voyait en secret un homme ? demanda-t-il en scrutant sévèrement l'assemblée. Un étranger, en plus, au visage marqué par le diable ! Un jeune homme qui n'a jamais mis les pieds dans notre église. Et son père pareillement, comme tous leurs domestiques. On peut quand même se demander qui des deux est le plus à blâmer. L'homme en proie à ses désirs ou la femme qui les allume, ouvrant la voie aux péchés de la chair ?

Un lourd silence tomba sur l'assemblée, bientôt suivi de murmures d'approbation. Puis, forcément, les têtes se tournèrent vers Maybel et Alban. Maman était assise à côté de moi. Elle prit ma main, sans doute pour me faire comprendre qu'elle n'approuvait pas les paroles du curé et qu'elle devinait mon désarroi, mais aussi pour m'inciter à ne pas réagir.

Alban se leva, la tête haute et le dos bien droit. Il marcha vers l'allée centrale, fit sa génuflexion devant l'autel, esquissa un signe de croix et quitta l'église sans dire un mot.

Maybel resta assise. Elle avait subi les paroles du curé sans manifester de réaction, le corps raide, mais le regard vague. Le silence de Maybel fut interprété par les paroissiens comme un aveu de culpabilité.

Je savais, moi, qu'elle était simplement brisée.

La veille de Noël, Guillaume fit sa demande à Maybel. Nous savions tous qu'il allait lui proposer de l'épouser ce soir-là, mais j'étais la seule, je crois, à tant redouter la réponse de Maybel. Papa et maman avaient défendu mon amie, réfutant les accusations du curé en espérant faire taire les rumeurs sur la Belle... et la Bête. Car c'est ainsi, comme dans le conte ancien, qu'on désignait désormais Maybel Collin et William Grant, héros malgré eux d'une légende toute neuve, enguirlandée de passions et de péchés. Mes parents étaient quand même heureux à l'idée d'accueillir mon amie dans notre famille. Au fil des saisons, ils avaient appris à l'apprécier et je crois même qu'ils l'aimaient profondément. Quant à mes frères et sœurs, ils l'adoraient et ils avaient aussi beaucoup d'affection pour Alban et Béatrice, avec qui les conversations prenaient toujours des tours surprenants.

François était revenu des chantiers deux jours avant Noël et depuis, j'avais le cœur en fête. À notre sortie de l'église, la nuit de Noël, la neige tombait à gros flocons. Les paroissiens échangèrent des vœux sur le parvis de l'église encore plus longtemps que de coutume et en arrivant à la maison, les odeurs de viande, de tartes et de pâtés finirent de nous mettre en appétit. Maman avait beaucoup cuisiné et Béatrice avait contribué au repas avec plusieurs spécialités de son cru : de la tête fromagée très épicée, des tartes à la viande parfumées à la sarriette, des croquignoles trempées dans le sucre, du sirop de framboise et du vin de bleuet. Alban semblait avoir oublié les remontrances du curé et Béatrice ne paraissait même pas au courant tant sa bonne humeur était contagieuse. En réalité, ils mettaient tout leur talent, toute leur énergie à participer à la fête, espérant ainsi aider Maybel à retrouver sa joie.

Peu après le repas, je remarquai que Guillaume et Maybel avaient disparu. Je confiai à François mes craintes quant à l'issue de leur discussion. Il les balaya d'un baiser avant de m'entraîner vers la petite pièce derrière le magasin qui nous servait de chambre en attendant que nous nous installions dans l'Ouest.

— Tout de suite après la débâcle ! me rappela-t-il.

J'avais tellement eu soif de lui pendant les longues semaines d'absence que ce projet pourtant périlleux ne me semblait porter que d'agréables promesses. J'en oubliais jusqu'à la peine que me causerait l'éloignement d'un territoire et de gens que j'aimais tant.

Le lendemain, avant même que Maybel ne s'éveille, Guillaume m'annonça qu'ils allaient s'épouser au printemps.

— Juste avant que ma sœur se sauve avec son beau François, dit-il en riant.

Le bonheur de Guillaume était beau à voir, mais l'acceptation de Maybel me troublait. Je m'inquiétais pour elle. Guillaume était-il conscient du deuil qu'elle traversait ? Ma belle amie tentait de survivre à la perte d'un ami extraordinaire. En plus, elle était tourmentée par la culpabilité et terrifiée à l'idée de ressembler à sa mère. Tous les soleils en elle s'étaient éteints. Guillaume devrait les rallumer un à un.

Cette année-là encore, on ne célébra guère le mardi gras. Le redoux de janvier fut un des pires démolissements de saison de mémoire des vieux. Neige, pluie, gel. Et encore. En cette veille de carême ouverte aux réjouissances, les branches des arbres étaient recouvertes d'une épaisse couche de glace transparente. Le matin surtout, la forêt brillait de mille feux, si bien qu'on se serait cru égarés dans un royaume féerique. Mais les routes étaient impraticables et la banquise s'était transformée en une vaste patinoire.

Guillaume et François étaient repartis ensemble au chantier. J'avais vu Guillaume embrasser Maybel et cela m'avait rassurée. Mon amie paraissait s'égayer un peu en prévision du printemps. La perspective de s'unir à Guillaume semblait lui plaire.

J'appris d'un pilote qui avait beaucoup chassé durant l'hiver que l'Écossais se faisait du souci pour son fils devenu souffrant. Un médecin de Rimouski appelé en consultation n'avait rien trouvé d'anormal dans le grand corps musclé de William Grant. Le bon docteur demanda à son patient de retirer son masque, peut-être parce qu'il craignait quelque infection sous le cuir, mais l'Écossais s'y opposa avec une telle véhémence que le médecin se promit de ne plus jamais aborder le sujet. Il admit plus tard avoir été ému par l'air misérable du jeune homme qu'il avait examiné.

Février fut marqué par un événement déplorable. Un dimanche matin de beau temps, alors qu'Alban et Maybel se dirigeaient vers l'église de Sainte-Cécile dans un tombereau tiré par une vieille jument, deux chevaux paniqués foncèrent sur eux, près de la baie des Roses, les renversant au passage.

C'était l'attelage d'Oswald Grant. Deux pauvres bêtes fouettées par un détraqué. Oswald Grant avait planifié la collision. Il avait retiré les grelots de son attelage, si bien qu'Alban n'avait pas pu anticiper la rencontre. L'Écossais avait choisi le jour, l'heure et le détour.

Oswald Grant poursuivit sa route alors même que le tombereau d'Alban gisait renversé et que sa jument roulait des yeux épouvantés. Elle saignait à un flanc, un lambeau de chair ayant été arraché par les parements de métal de la voiture d'Oswald Grant. Maybel avait le visage en sang, la neige croûtée lui ayant râpé la peau.

Alban était hors de lui.

— C'est un fou dangereux ! Il aurait pu nous tuer, rugit-il après avoir examiné sa fille.

Alban conduisit Maybel chez nous. Il fallait nettoyer son visage pour prévenir l'infection et appliquer de la glace afin de diminuer les couleurs et l'enflure. Pendant que maman et moi prenions soin de Maybel, papa aida

Alban à panser sa jument. Le père de Maybel annonça qu'il était résolu à affronter l'Écossais.

— Il y a des fois où il ne faut pas plier l'échine, expliqua-t-il. Pour se respecter autant que pour survivre. Si on laisse faire l'Écossais, un jour, ce n'est pas un animal qu'il va abattre mais un humain.

D'une voix éteinte, il ajouta :

— Et ça pourrait bien être ma fille.

Mon père confia la jument à un de mes jeunes frères et ils poursuivirent leur discussion dans la cuisine.

— Vous avez raison, monsieur Collin, dit papa. Oswald Grant est dangereux. Mais c'est pas le temps de mettre le feu aux poudres. Si vous allez là-bas seul, j'ai peur que vous ne reveniez pas. Vaut mieux réunir quelques hommes et, ensemble, livrer un message clair à l'Écossais. J'ai des amis à la forge à l'heure qu'il est. Venez ! On va leur parler.

Alban parut soudain abattu. La rage avait déjà déserté son cœur. Il adressa un sourire triste à mon père.

— C'est bon, dit-il seulement.

Maybel repoussa subitement les mains qui la soignaient et se précipita vers mon père.

— N'y allez pas ! C'est dangereux ! Que vous soyez dix ou cent, ça pourrait mal tourner. Il est armé... Dès que je serai mariée à Guillaume, l'Écossais ne nous embêtera plus. Attendez un peu. Tout va s'arranger. Vous allez voir. C'est la seule solution. J'y ai beaucoup réfléchi...

Mon père observa attentivement Maybel.

— Tu m'as l'air d'en connaître long sur l'Écossais, dit-il d'un ton où perçait le reproche.

— Oui, monsieur, murmura Maybel sans quitter papa des yeux.

— Si Maybel est aussi sûre, il faut l'écouter. Attendons, décida Alban.

Guillaume fit parvenir à Maybel un simple billet sur lequel il avait griffonné : «Je pense souvent à toi.» C'était bien peu, mais Maybel en fut heureuse.

— Ton frère est gentil, dit-elle ce dimanche-là alors que nous étions assises sur mon lit dans ma chambre de jeune fille. Et il m'aime... ajouta-t-elle d'une toute petite voix où perçait la fierté, avant de replonger dans ses pensées.

Je pensais comprendre les sentiments de Maybel. Depuis des mois, elle et les siens étaient la cible de rumeurs déshonorantes. La forteresse de confiance et de joie qu'Alban et Béatrice avaient patiemment édifiée autour de Maybel était attaquée de toutes parts. Or, l'affection de Guillaume et ses menues attentions pour sa promise la réinstallaient dans un monde protégé et l'autorisaient à croire qu'elle était encore cette petite femme unique et précieuse qu'elle avait toujours été et qu'elle serait toujours. Je devinais aussi que Maybel épousait mon frère pour calmer l'Écossais. Pour ne pas semer la pagaille, comme elle me l'avait expliqué.

J'osais à peine respirer pour ne rien déranger. Maybel était de plus en plus avare de confidences alors même que je la sentais tourmentée par un grave secret. Si seulement elle pouvait s'ouvrir, si seulement elle parvenait à s'en libérer, peut-être redeviendrait-elle la petite sauterelle de l'anse débordante de gaieté.

Maybel me surprit avec un récit un peu décousu dont je ne saisis pas tout de suite la signification.

— Juste avant Noël, j'ai réussi à convaincre Guillaume de venir avec moi s'asseoir au pied du cap à l'Orignal pour voir le soleil se coucher sur la rive d'en face, commença-t-elle, le regard lointain.

Elle attendit un peu avant de poursuivre :

— L'air était bon. Ça sentait la neige fraîche. J'ai appris que la neige a une odeur...

Maybel me fixait de ses yeux perçants, comme pour savoir si j'avais déjà constaté, moi aussi, que la neige avait une odeur. Et cela semblait très important tout à coup. Je parvins à sourire. Elle continua :

— Au début, Guillaume n'a rien dit. C'était bon de regarder ensemble le soleil descendre tranquillement derrière les nuages. Je m'amusais à trouver des dragons, des voitures en feu, des oiseaux géants avec des bois ou des trompes.

Elle eut un rire merveilleux.

— J'étais bien. Je pensais un peu à mon voisin, c'est sûr, parce que la dernière fois que j'avais pris le temps de voir vraiment... de sentir le monde autour de moi, il était là. C'est lui qui m'a montré...

Sa gorge s'était nouée aux derniers mots. Elle se reprit.

— Malgré tout, j'étais heureuse que Guillaume soit là, à côté de moi. Et je suis heureuse parce qu'il m'a envoyé un mot, ajouta-t-elle comme si elle venait tout juste de s'en souvenir.

Je sentais qu'elle n'avait pas tout dit, pourtant elle se tut.

— Êtes-vous restés longtemps... Guillaume et toi? demandai-je pour relancer la conversation.

Maybel fit d'abord comme si elle n'avait rien entendu. Finalement, elle leva vers moi des yeux de mer.

— Guillaume avait froid, dit-elle dans un filet de voix. Il était fatigué... On n'est pas restés assez longtemps pour voir le soleil tomber.

Papa et Alban attendaient le retour des hommes du chantier pour publier les bans, mais déjà, de Saint-Fabien à Rimouski, tout le monde savait que la Belle de l'anse à Voilier était promise au fils du gérant de la compagnie Price. C'était dit sans malice avec pour seul sous-entendu que chacun y trouvait son compte. Guillaume mariait la plus belle femme de la côte et la fille de l'ancien gardien de phare épousait un homme promis à un bel avenir.

J'avais offert ma robe de noces à Maybel. C'était une belle parure en soie grège, ceinturée à la taille et ornée de volants sur la poitrine et au bas du jupon. Pour que cette tenue soit bien la sienne et pour mettre en valeur la clarté de ses yeux, j'avais convaincu Maybel de m'aider à changer le ceinturon et les volants.

— Avec des garnitures bleues, on va leur en mettre plein la vue. La petite sauterelle de l'anse ? Non, messieurs-dames. Une fée !

À la mi-mars, ma mère m'annonça que Maybel avait reçu un paquet par la poste. Je le pris avec moi en attendant de le remettre à Maybel ce dimanche.

C'était un bon colis, assez lourd, carré, large de deux mains et aussi haut. Je l'avais agité un peu, par curiosité, mais sans parvenir à deviner ce qu'il contenait. Bien sûr, j'aurais surtout voulu savoir de qui il venait. L'expéditeur n'avait pas laissé de trace sur l'emballage. Il – ou elle – avait seulement écrit un nom, «Maybel Collin», suivi de «Sainte-Cécile».

Maybel l'ouvrit devant moi. Il contenait des livres. Contes de ma mère l'Oye, Les Mille et Une Nuits, La Véritable Histoire du chevalier Des Grieux et de Manon Lescaut et Notre-Dame de Paris. Maybel caressa lentement les reliures, tourna amoureusement les pages, enfouit sa tête dans le cuir et le papier.

Une larme mouilla la couverture des Contes de ma mère l'Oye. Maybel essuya prestement sa joue et souffla sur le cuir pour faire disparaître la tache sombre. Un billet s'échappa du livre. Maybel le déplia en tremblant.

Un mot. Six lettres.

« Pardon »

Maybel plongea dans ces livres comme on se jette en mer, sans savoir jusqu'où l'emporterait le courant. C'étaient des livres comme ceux dont le fils de l'Écossais avait parlé. Des histoires d'horreur et de magie, d'amour et de trahison, de monstres et de fées.

— Sans lui, je n'aurais jamais imaginé que tout ça existait vraiment, avec seulement des mots et du papier, me confia-t-elle, exaltée.

William Grant avait soigneusement choisi ces quatre livres. Maybel découvrait un vaste monde insoupçonné. Elle était subjuguée.

J'avais espéré que ce cadeau libérerait Maybel du poids qui l'écrasait. William Grant lui pardonnait. La page était tournée. Un jour, peut-être, ils pourraient à nouveau arpenter la plage, en toute amitié. J'imaginais bien un de mes jeunes frères les accompagnant discrètement pour que les bonnes mœurs soient respectées. Si Guillaume se montrait réticent, je trouverais les mots pour le persuader d'autoriser ces rencontres. Quelque part en moi, une petite voix me soufflait que c'était là l'unique sortilège capable de faire réapparaître la petite sauterelle de l'anse. Je savais que Maybel scrutait encore souvent la pointe aux Épinettes dans l'espoir d'y voir danser un fanion. Ses rendez-vous avec le fils de l'Écossais lui manquaient affreusement. En attendant qu'ils redeviennent possibles, Maybel me semblait plus que jamais soucieuse et grave.

Les hommes rentrèrent du chantier pendant que le pont de glace tenait toujours. Cette même semaine, la banquise creva avec des fracas de fin du monde. Deux jours après, l'eau était libre, toute la glace avait disparu comme par enchantement.

— Un printemps si soudain, ça n'arrive qu'une fois tous les vingt ans, me confia un pilote à la retraite.

Trois dimanches d'affilée, on publia les bans annonçant l'union de Guillaume et Maybel. La dernière fois, je fus prise d'une impulsion idiote. Pendant quelques instants, je m'imaginai me levant soudainement pour signaler un empêchement.

— Ma meilleure amie ne peut pas épouser mon frère, aurais-je déclaré. Elle garde un trop lourd secret verrouillé dans son cœur depuis le début de l'hiver. Un secret qui la ronge et la ravage. C'est ça l'empêchement!

Heureusement, ou peut-être malheureusement, j'étais restée immobile et muette sur mon banc.

Comme toujours, il n'y eut pas d'empêchement.

Maybel me confia qu'elle aurait aimé arriver par la mer au matin du mariage. Accoster dans la baie des Roses et de là, tenant d'une main Béatrice et de l'autre Alban, marcher jusqu'à l'église où mon frère et nous tous les aurions attendus.

— J'aurais bien profité de ces dernières heures sur l'eau, dit-elle simplement.

Au lieu, il fut sagement convenu que la veille des noces, Maybel et Béatrice dormiraient chez nous. Pour respecter les convenances, Guillaume irait chez un voisin.

Quant à Alban, il arriverait le matin même, après avoir nourri les bêtes.

Trois jours avant les noces, une tempête atroce s'abattit sur la côte. C'était un bien curieux soubresaut d'hiver en ce début de mai. Des branches d'arbres s'envolèrent, des piquets de cèdre furent fauchés et aucun homme, aussi fort fut-il, ne parvint à marcher droit. Le vent glacé nous faisait dévier de notre route, il brisait, pliait, écrasait tout sur son passage, réaffirmant son pouvoir, réinstallant sa loi.

Puis le ciel creva dans un crépitement de grésil dur et froid. Et le vent enfla, toujours plus déchaîné. Cette nuit, la dernière pour Maybel dans l'anse, il siffla entre les poutres de leur maison, fit claquer les bardeaux du toit et trembler les fenêtres. Les bêtes beuglaient dans l'étable. Étendue dans son petit lit, Maybel n'arrivait pas à fermer les yeux. Quelque part au loin, du côté de la pointe aux Épinettes, il lui semblait entendre les sanglots étouffés de son voisin. Comme s'il suffoquait, écrasé par un énorme chagrin. Maybel avait beau se persuader que tous ces bruits n'étaient attribuables qu'au vent, à chaque nouvel assaut, elle sentait ses entrailles se tordre.

À l'aube, seulement, Maybel s'endormit. Lorsque Guillaume vint la chercher à midi, il la trouva pâle et muette, blottie dans son petit lit.

Maybel demanda à Guillaume de l'attendre pendant qu'elle faisait ses adieux à l'anse où elle était née et où elle ne dormirait sans doute plus jamais. En saluant les islets, le ciel, la mer, l'aubépine flétrie, les rubans d'algues mousseux et tous les oiseaux présents, Maybel dut sans doute, une dernière fois, fouiller l'horizon de ses yeux de lavande à la recherche d'une écharpe rouge nouée à une branche d'épinette.

La robe de soie grège parée de bleu était suspendue à la porte de ma chambre de jeune fille. J'avais cédé mon lit à Maybel et installé une paillasse pour dormir à côté. Béatrice occupait la chambre derrière le magasin où François et moi nous étions déjà aimés plusieurs fois. Je tenais à rester tout près de mon amie en cette dernière nuit.

Au milieu du jour, le ciel s'apaisa. Les vents retournèrent s'enfouir dans les crevasses secrètes de la terre. Finis les grands emportements. La soirée fut douce, l'air était presque tiède. Béatrice prédit un matin sombre suivi d'embellissements.

— Le soleil va finir par sortir, vous allez voir!

Cette nuit, Maybel s'éveilla le cœur battant à tout rompre. Dans les voiles gris de son sommeil, elle avait vu le fils de l'Écossais recroquevillé sur le sol dans une petite grotte où flottaient des milliers de plumes d'eiders et autant de lettres noires arrachées aux pages des livres. Le regard fiévreux, le corps secoué par de violents tremblements, William Grant agonisait.

J'entendis le cri de Maybel à son réveil, mais quelque part en moi une petite voix me commanda de rester immobile, les yeux clos, comme si je n'avais rien entendu, rien deviné. Je sentais confusément que cette page d'histoire ne m'appartenait pas et qu'il ne fallait surtout pas que j'en modifie le cours.

Maybel se leva.

— Attendez-moi ! souffla-t-elle avant de quitter la chambre, comme si elle s'était adressée à un fantôme.

La lune était encore haute. La mer était ensevelie dans un brouillard dense qui abolissait les islets et les caps, effaçait les baies et les anses.

— Je savais, aussi sûr que j'existais, que quelque part parmi les bouleaux, les grands pins et les épinettes, mon ami se mourait, me confia Maybel beaucoup plus tard.

Et elle était prête à tout pour le sauver.

Elle courut jusqu'à la mer, prit la première barque qu'elle trouva sur le rivage et disparut dans la brume épaisse pendant que la marée montait.

Maybel rama avec ardeur, sûrement et efficacement. Tout son être, toute sa volonté étaient tendus vers cet unique but : sauver William Grant.

Les rames heurtaient la surface de l'eau avec des claquements sourds. L'horizon était noyé dans un brouillard laiteux. Il n'y avait plus de repères. Maybel avançait à la grâce de Dieu, tel un pilote aveugle, incapable de lire sa route, animée par une ferveur qui peu à peu s'enhardit de colère.

Pendant des mois, elle avait accepté que son bonheur ait fui. Elle s'était laissé déposséder de sa joie. Une petite bête sournoise, tapie dans quelque recoin obscur de son être, lui avait fait croire que son sort était mérité. Elle était coupable de la fuite de sa mère, coupable du mépris de l'Écossais, coupable de l'amour qu'elle avait allumé. Coupable de rire, de sauter, d'exister.

— Non! cria Maybel d'une voix qui semblait pouvoir fendre le brouillard.

Était-ce le souffle tiède d'un vent lointain, les cris insistants des goélands ou les lambeaux de lumière au fond du ciel trouble? Malgré l'angoisse qui l'étreignait, malgré le souvenir dévastateur de son ami souffrant, Maybel sentit une aube fragile naître en elle. Elle eut l'impression d'entrer dans une saison nouvelle.

Les rames s'abattirent à une cadence accélérée. Des forces fabuleuses, nourries d'espérance, animaient Maybel. Toute son énergie était maintenant libérée pour livrer bataille, pour arracher William Grant aux griffes de la mort.

Un fil ténu, invisible, la guidait vers lui. Maybel avait confiance.

Au moment où elle reconnut le rivage de l'île, le fond de la barque grattait déjà la plage caillouteuse. En mettant pied à terre, Maybel éprouva un choc. Une merveilleuse certitude venait tout juste d'éclore en elle.

Dans les profondeurs lumineuses de sa mémoire, elle revit William Grant, debout, le bras tendu, un oiseau de proie perché sur sa main. Puis le masque de cuir creusant doucement la forêt de plumes argentées.

Pendant qu'elle courait sur la plage, elle crut entendre l'écharpe claquer à la pointe aux Épinettes. Et loin, par-delà le brouillard, lui parvint le bruissement des ailes de cormorans s'élevant enfin vers le ciel, puis le cri des loups-marins explosant de joie et celui des dauphins bondissant sur le dos de la mer.

La cabane de l'île aux Plumes était déserte et il n'y avait pas de masque sur la table. Malgré sa promesse, Maybel n'avait pas honte d'être là. Elle se sentait investie de tous les droits.

Lorsqu'elle franchit la flèche de sable pour atteindre l'anse aux Bouleaux, une silhouette se dessina sur l'autre rive. Oswald Grant faisait le guet parmi les herbes hautes enguirlandées de brume.

Elle avança jusqu'à cet homme qui l'avait terrifiée au point de bouleverser le cours de son existence et, le regard en feu, elle le défia. L'Écossais tourna vers elle un visage rongé par l'inquiétude. Toute colère semblait l'avoir déserté.

— J'espérais que vous viendriez. J'ai même contemplé l'idée d'aller vous chercher, admit-il.

Ils avancèrent en hâte, leurs pas martelant le sol du sentier. Devant la porte du manoir, Maybel fut saisie d'un vertige. Un livre s'écrivait. C'est parfaitement libre et pleinement consentante qu'elle avançait sur ces pages, mais la décision était si soudaine, si énorme, que tout son être en était secoué.

Elle se tourna vers l'Écossais et déclara d'une voix que l'angoisse et la hâte tout à la fois agitaient :

— Vous aviez tort, monsieur Grant. J'aime votre fils. Avec ou sans masque. Et je le veux avec moi. Vivant...

Maybel aimait William Grant. Cet extraordinaire secret l'avait presque asphyxiée avant de se révéler enfin, avant de se métamorphoser en cette flamboyante certitude.

Elle le trouva, comme elle l'avait imaginé, recroquevillé sur le sol dans la bibliothèque derrière le salon. La sueur collait ses mèches fauves à ses tempes, perlait son front de rosée, ourlait le cuir de son masque.

Maybel avança vers lui, seule, et referma la porte derrière elle.

Il lui sembla plus grand encore que dans ses souvenirs. Son corps était vaste et ses yeux immenses.

Elle s'agenouilla près de lui, prit une des grandes mains qui, dans cette même pièce, avait pressé les siennes sur le cuir des livres, l'invitant à sonder cet océan de mystères. Lentement, elle porta la main à ses lèvres.

Les doigts de William Grant étaient froids. Ses yeux éteints. Maybel eut peur.

Elle approcha son visage du sien. Puis, de ses yeux de lavande, elle fouilla les deux grands ciels noirs qui trouaient le masque afin de réveiller une poussière de braise, un infime scintillement, l'ombre d'un éclat.

Rien ne vint percer l'obscurité du regard de William Grant.

Un souffle rocailleux montait de ses poumons. Sa chemise mouillée collait à ses côtes et l'étoffe de son pantalon moulait les muscles de ses cuisses et de ses jambes.

Elle aurait voulu lui offrir des paroles, mais les mots s'étranglaient dans sa gorge. Une vague de panique la submergea. Maybel aspira une grande bouffée d'air, refusant de se laisser engloutir.

Elle caressa le cuir mince, laissa ses doigts fins couler dans la forêt de cheveux et défit les cordons du masque. Puis, avec des gestes d'une tendresse infinie, elle fit glisser le cuir, révélant le visage.

Sans hâte, sans hésitation, ses doigts explorèrent chaque griffure, chaque morsure, chacun des pauvres cratères. Et ils recommencèrent, plus habiles, plus légers, plus confiants, caressant les joues, s'attardant à la commissure des lèvres, glissant doucement sur l'arête rongée du nez.

Maybel scruta encore le regard de l'homme qu'elle aimait tant et crut débusquer un semblant de lueur au coin de l'œil.

Ses lèvres remplacèrent ses doigts. Elles effleurèrent en tremblant chaque particule de chair grugée, chaque parcelle de peau meurtrie, chacune des horribles cicatrices.

Un éclair lumineux glissa sur l'iris. C'était bien peu, et, pourtant, elle en conçut un espoir géant.

Elle n'était plus la jeune fille brisée, soumise, dépossédée. Elle était redevenue la sauterelle de l'anse, le feu follet, la sorcière et la fée. Un petit animal, encore un peu sauvage et tout à ses instincts, pétri d'amour, de désir et d'espoir.

— Je vous aime, murmura-t-elle d'une voix ardente. Je vous aime et je ne veux plus jamais vous quitter. Nous allons inventer d'autres courses aux trésors et voyager ensemble dans tous les livres du monde. Je veux que vos songes se mêlent aux miens. Je veux...

Une folle angoisse fit taire Maybel. Les paupières de son compagnon venaient de s'abaisser. Il aurait dû prendre sa main dans la sienne. Répondre à ses baisers.

Malgré tout, Maybel refusait de croire que ses désirs puissent échouer.

— Je veux que vous m'aimiez, souffla-t-elle dans les cheveux de son ami. Avec vos yeux, vos lèvres, vos mains... avec votre corps tout entier.

Des larmes roulaient sur les joues de Maybel. Elle aussi s'était livrée. Sans masque. Sans pudeur.

Il n'y eut plus que le silence. On aurait dit que tous les héros cachés, les amoureux éperdus, les rois, les lutins et les sirènes attendaient avec Maybel, le souffle suspendu, qu'une histoire s'écrive.

William Grant entrouvrit les yeux.

— Je... vous... aime, souffla-t-il d'une voix à peine perceptible.

Ses paupières se refermèrent comme sous le poids d'une fatigue énorme. Son visage était plus pâle qu'une lune d'hiver. Il était trop tard.

Maybel comprit que son compagnon s'était laissé mourir de chagrin. Il lui restait tout juste assez de force pour respirer. La lumière dans ses yeux n'avait été qu'un mirage. Il allait la quitter.

Une rage sourde cingla Maybel. Pendant un long moment, elle resta immobile devant l'homme qu'elle aimait. Puis, comme ces hérons qui s'envolent soudain, mus par un signal secret, elle fut debout d'un bond. Peu après, la porte claqua derrière elle.

Elle avait connu un jeune homme fort et en santé. Pour tant dépérir, il avait dû imiter les eiders prisonniers de leurs nids.

Or, Maybel avait appris de son ami comment sauver les oiseaux trop faibles pour courir à la mer.

William Grant vivrait. Il n'était pas trop tard.

Depuis Montréal, le petit cahier était resté fermé sur mes genoux. À Québec, j'étais sortie un moment pour aspirer de grandes gorgées d'air en gardant le cahier collé contre ma poitrine. Puis j'étais retournée à mon siège et j'avais vu le fleuve s'élargir peu à peu jusqu'à ce que la rive nord disparaisse.

« William Grant vivrait. Il n'était pas trop tard. » C'étaient les derniers mots. Toutes les autres pages du cahier étaient vierges.

Je pensais au jeune instituteur qui m'avait brisé le cœur. Étais-je bien sûre de l'avoir tant aimé ? Avais-je, comme ma marraine jadis, été réellement habitée par une merveilleuse certitude ?

L'aurais-je aimé sans masque ? L'aurais-je aimé avec la figure rongée et des cratères à la place des joues ?

J'ouvris le sac de voyage à mes pieds et y glissai le précieux cahier. Puis, la tête appuyée contre la fenêtre, je me laissai bercer par le roulis du train et m'endormis en inventant une suite à l'histoire de Maybel.

J'émergeai de mes songes au moment où le contrôleur annonça :

— Saint-Fabien !

Le train m'avait menée jusqu'au pays de Maybel, jusque-là où la mer commence. Par la fenêtre du wagon, je vis bientôt défiler les caps et les islets qu'un ange vêtu d'un long manteau de soie bleue avait éparpillés à tous vents, creusant les baies, dessinant les anses.

Sous le ciel de mai, c'était encore plus beau que tout ce que j'avais imaginé.

— Sainte-Cécile ! Les passagers sont priés…

Florence m'avait assuré qu'on m'attendrait à la gare. Mais elle n'avait pas dit qui. Et moi, l'idiote, tout à mes tourments, je n'avais rien demandé de plus.

À quoi ressemblait Maybel aujourd'hui ? Elle aurait l'âge de Florence… Une vieillarde !

Mais encore… Ses yeux étaient-ils vraiment de la même couleur que les miens ? Une vieille fée, cela semblait possible. Mais une vieille sauterelle ?

Et William Grant. Avait-il survécu ? Était-il encore vivant ?

Un jeune homme s'approcha.

— Marie Bouvier ?

J'acquiesçai.

Il paraissait mal à l'aise. Et accablé. Mais peut-être était-il simplement timide.

— Moi, c'est Louis. Mon attelage est tout près. Laissez-moi prendre vos bagages…

Je ne pus réprimer un sourire. Pour la première fois de ma vie, j'étais ailleurs que dans mon petit patelin trop plat. J'allais enfin rencontrer ma marraine, une femme que j'avais crue sans histoire alors même qu'elle avait vécu une passion amoureuse bouleversante. Et voilà qu'en plus un beau jeune homme s'occupait de moi.

Pendant le trajet en voiture, Louis m'expliqua que son père était propriétaire de l'auberge du village. C'est là que j'allais dormir. Cela me surprit. J'avais cru que j'irais m'installer chez ma marraine. Encore une fois, je me trouvai bien idiote d'avoir posé si peu de questions. Où vivait Maybel ? Au village ou dans une anse ? Et avec qui ? Pourquoi diable m'étais-je si peu intéressée à elle pendant toutes ces années ?

Les rues de Sainte-Cécile étaient parfaitement désertes. J'en fis la remarque à mon compagnon.

— D'habitude, c'est plus animé, dit-il en se tournant rapidement vers moi.

L'auberge était magnifique et ma chambre ravissante. Je me sentais comme une princesse dans son petit palais. J'avais même un laquais. Un beau jeune homme mélancolique.

— Je dois vous conduire quelque part, expliqua-t-il avant de me laisser m'installer dans ma chambre. Je pourrais revenir dans une heure. À moins que vous n'ayez besoin de plus de temps pour vous reposer…

J'eus un petit rire.

— Me reposer ! J'ai eu trois jours en train pour le faire. Non, non. Une heure, ça me va. Ou même moins… Je suis venue rencontrer ma marraine. J'ai très hâte. La connaissez-vous ?

— À tout à l'heure, dit-il seulement avant de disparaître.

Je l'attendis sous la véranda de l'auberge en contemplant la mer. C'était une vraie journée de printemps avec un soleil brûlant et des milliards de parfums nouveaux. Le village était tellement silencieux que, en tendant bien l'oreille, je pouvais entendre, au loin, la rumeur des oiseaux. Dès que Louis descendit de voiture, je me précipitai vers lui, oubliant toute retenue.

Nos regards se croisèrent. Quelque chose vacilla en moi. Il y avait une telle douleur dans ses yeux.

Je n'eus pas le courage de poser de questions. Il proposa que nous marchions.

— C'est tout près…

Il s'arrêta quelques rues plus loin devant une imposante maison de bois grise et bleue. Le rez-de-chaussée était rempli de visiteurs. On aurait dit que tout le village y était réuni.

Louis me guida jusqu'à la pièce du fond. Les gens s'écartaient pour le laisser passer. Personne ne semblait surpris de ma présence. On aurait dit qu'ils savaient tous que Marie Bouvier, de Saint-Vital, au Manitoba, était arrivée par le train de deux heures. Et qu'elle se joindrait à eux.

À mesure que nous avancions, les voix se firent plus feutrées. Et ce n'était pas en réaction à la présence de Louis ou à la mienne. Cette maison renfermait un secret vers lequel nous marchions.

Louis me laissa entrer la première dans une chambre. Une femme était étendue sur le lit. Elle portait une longue robe de soie grège parée de bleu. Ses fins cheveux disparaissaient dans la blancheur de l'oreiller. Un homme était agenouillé à son chevet.

Il était grand et large d'épaules. Je ne pouvais voir son visage parce qu'il me tournait le dos.

Et parce qu'il portait un masque. Les cordonnets de cuir étaient noués sur sa nuque et sur ses cheveux gris.

Un sanglot secoua ses épaules. Il enfouit son visage dans la soie grège et ses mains, qui étaient encore belles, froissèrent le tissu, coururent sur les hanches, caressèrent les épaules. Puis ses doigts effleurèrent lentement le visage adoré et sa bouche s'approcha de la sienne.

Les deux têtes reposaient maintenant sur l'oreiller. Une plainte étouffée s'échappa de la gorge de l'homme. Puis le cri se mua en gémissement.

Un couple vint vers lui. L'aida à se relever. William Grant obéit sans opposer de résistance. Il semblait totalement dépossédé. Complètement perdu.

Je m'approchai lentement de ma marraine. Ses paupières étaient closes. Je ne pouvais savoir si ses yeux étaient pareils aux miens.

Je pris sa main, cette main qui avait tremblé de désir lorsque William Grant l'avait pressée sur la reliure des livres, tremblé de désir en sentant l'haleine chaude dans son cou et le cuir du masque si près de sa peau.

Ses longs doigts minces étaient raides. Et froids.

Alors les astres s'immobilisèrent. Le soleil s'éteignit.

Maybel était morte. Je ne connaîtrais de ma marraine que le récit de Florence.

Je plongeai à mon tour dans l'océan de soie grège.

Ils me laissèrent pleurer. Puis des mains pressèrent doucement mes épaules.

Louis était derrière moi. Son chagrin me parut insondable.

Nous étions seuls dans la petite chambre.

— Qui êtes vous? lui demandai-je.

Il garda son regard rivé au mien.

— Comment vous appelez-vous? Dites-moi votre nom! le suppliai-je.

— Louis Grant.

Louis quitta la petite pièce. Sa mère le remplaça. C'est elle qui me reconduisit jusqu'à l'auberge.

— J'aurais souhaité vous rencontrer dans d'autres circonstances, dit-elle. Maybel, la mère de mon mari, était malade depuis des mois. Elle savait qu'elle allait mourir. Elle n'a pas souffert. Mon beau-père…

Une brusque inquiétude l'ébranla.

— Vous saviez… que le père de mon mari porte un masque? J'espère que ça ne vous a pas fait peur. Il a été défiguré lors d'un accident de chasse. Nous, on est habitués. Même qu'on oublie. C'est moins pire que ça en a l'air, vous savez…

Elle fit une pause avant de poursuivre :

— Mon beau-père est retourné à son antre… À l'île aux Amours.

Elle vit que je ne comprenais pas.

— Avant, c'était l'île aux Plumes. À cause des nids d'eiders. C'est là que William et Maybel se sont donné rendez-vous la première fois. Un jour, si vous voulez, je vous raconterai… Enfin… ce que j'en sais. À cause d'eux… parce que tout le monde savait qu'ils s'aimaient beaucoup… on a rebaptisé l'île.

La mère de Louis semblait ignorer l'existence du petit cahier. Étais-je donc la seule, avec mamie Florence, à connaître toute l'histoire ? Chacun des rendez-vous. Chaque étape de l'extraordinaire course aux trésors. Et la bibliothèque cachée, ce petit paradis de cuir et de papier…

Le soleil commençait tout juste à redescendre. J'avalai une soupe avant de monter à ma chambre. Épuisée. Dès que ma tête toucha l'oreiller, je m'endormis.

À mon réveil, le soleil était encore haut. Je m'étais assoupie pendant une heure tout au plus. J'avais rêvé, mais mes songes n'avaient pas laissé de traces dans ma mémoire.

Je savais seulement que je voulais voir la mer. Et l'île. Et l'anse.

Un employé de l'auberge accepta de me conduire jusqu'à la baie des Roses. Il reviendrait me chercher dans une heure.

La marée descendait. De gros blocs rocheux émergeaient à la surface de l'eau. Je me rappelai ce que Florence avait remarqué la première fois qu'elle avait marché jusqu'à la mer. Les rochers qui bougeaient… J'aperçus ainsi mon premier loup-marin.

Je traversai le petit pont de la rivière du Sud-Ouest et longeai le rivage jusqu'à la flèche de sable menant à l'île aux Amours.

La mère de Louis avait dit que William Grant s'y terrait. J'imaginais le masque sur la table basse et les gémissements du pauvre homme, si poignants qu'ils vidaient le ciel de tout ce qui bouge.

Je continuai ma route. Plus tard, peut-être, William Grant accepterait de me rencontrer. Seule. Alors, je lui parlerais du cahier.

En empruntant le petit sentier liant les deux anses aux Bouleaux, j'imaginai ma marraine et son compagnon traversant ces terres. Lui masqué, elle dans ses habits d'épouvantail.

Le manoir était toujours là. Et il semblait habité. Avait-il été vendu ou les Grant y vivaient-ils toujours?

Devant moi, au loin, j'apercevais le cap à l'Orignal et l'anse à Voilier. Que restait-il de la ferme d'Alban?

J'avançai vers la pointe aux Épinettes. La mer était basse. Le rivage parsemé de trésors. Reviendrais-je un jour contempler les escargots de mer, les étoiles et les oursins?

Le ciel s'était assombri, l'attelage m'attendait sans doute déjà dans la baie des Roses et il me restait encore un long chemin à refaire. J'aurais dû repartir, mais avant, je voulais marcher jusqu'au bout de la pointe aux Épinettes.

Chercher parmi les arbres.

Sitôt arrivée, je sentis le sang pulser dans mes veines, battre à mes tempes, irriguer tous mes membres.

Une écharpe rouge battait au vent.

Mon cœur cognait encore dans ma poitrine quand j'aperçus la voiture. J'avais bel et bien vu le fanion. Et pourtant, il me semblait encore que c'était un mirage. Que l'étoffe rouge n'appartenait qu'au cahier de Florence.

Je mangeai seule à l'auberge. La mère de Louis m'avait laissé un message. Les funérailles auraient lieu le lendemain. J'étais invitée à un repas au manoir « avec toute la famille » après la cérémonie.

Avant de m'endormir, j'eus une pensée pour le jeune instituteur qui m'avait mis le cœur en charpie. J'avais eu mal à en vouloir mourir et voilà que j'étais à nouveau heureuse d'exister. Le cahier de Florence m'avait ouverte à un autre monde. Il avait élargi mes horizons, redéfini mes repères, ébranlé mes convictions.

Sans doute n'avais-je encore jamais été habitée par cette flamboyante certitude que ma marraine avait découverte en elle un matin de brume. Tout au plus avais-je ressenti un élan. Vif, intense, mais sans plus. Des désirs informes, des espoirs confus. Rien d'unique. Rien de véritablement partagé. Aucune vérité nouvelle.

Tant pis. J'avais toute la vie.

À mon réveil, la pluie fouettait la fenêtre de ma chambre. Mais dans ma tête, un autre son résonnait encore. Celui d'une écharpe claquant au vent.

Pendant que les derniers lambeaux de rêve s'effilochaient dans ma conscience embrouillée, j'imaginai William Grant, ce grand vieillard désormais si seul, longeant la rive, son fanion sous le bras. Avec des gestes sûrs, il nouait l'étoffe à une branche, serrant solidement le nœud pour que l'écharpe ne s'envole pas.

Pourquoi?

Pourquoi l'écharpe claquait-elle au vent? Était-elle là depuis longtemps? Cela me semblait impossible. William Grant n'aurait pas laissé ce souvenir de sa mère livré pour rien aux intempéries.

Dans le cahier de Florence, il était écrit que chaque fois que le fils de l'Écossais avait hissé ce signal, c'était pour donner rendez-vous à Maybel.

La vérité m'atteignit de plein fouet. Mon cœur sauta quelques battements. C'était atroce. Affolant.

Pourquoi n'y avais-je pas songé plus tôt?

À l'auberge, tout le monde dormait encore. Je courus jusqu'à la route. Arrêtai la première voiture.

L'homme me reconnut pour m'avoir vue la veille dans la maison grise et bleue. Je bafouillai une histoire à propos d'un souvenir perdu sur la grève.

— Mais la mer l'aura avalé, ma pauvre fille, protesta l'homme. Et puis, regardez le temps qu'il fait. Vous êtes déjà toute trempée.

— C'était… un peu plus haut que la plage. Parmi les arbres… Il n'est peut-être pas trop tard… Amenez-moi jusqu'au marais salé. De là à la pointe aux Épinettes, il n'y a pas si loin… Je marcherai…

— De là, vous allez attraper votre coup de mort! Vous m'avez l'air pas mal à l'envers. Attendez un peu que le village se réveille. Quelqu'un ira sûrement avec vous.

Je ne savais plus quoi raconter. J'étais prête à faire toute la route à pied, jusqu'à la pointe aux Épinettes, malgré la pluie froide et les vents qui enflaient, mais j'avais tellement peur d'arriver trop tard.

L'homme m'examina et sans doute eut-il pitié de mon désarroi.

— Allez! Montez! dit-il finalement.

J'avais le souffle court et les poumons en feu. Le sang cognait à mes tempes. J'avais couru presque tout le long, jusqu'à la pointe aux Épinettes.

Le vent n'agitait plus que les branches. L'écharpe avait disparu.

Étais-je arrivée trop tard? Non, c'était impossible.

Je trouvai l'écharpe sur le sol, encore nouée à une branche. La tempête avait fait des dégâts pendant la nuit.

J'ai crié :

— Monsieur Grant ! Monsieur Grant !

La pluie fouettait les arbres, les roches, l'eau, la plage. J'étais seule à la pointe aux Épinettes, terrifiée à l'idée que William Grant ait hissé le fanion pour un ultime rendez-vous avec Maybel.

Il avait perdu ce qu'il avait de plus cher. Comment n'avaient-ils pas tous deviné qu'il voudrait mourir avec elle ?

Un éclair fendit le ciel. Je ne pouvais rester plantée sous les arbres alors que les grondements sourds du tonnerre roulaient au loin et que la foudre menaçait de s'abattre.

Je longeai le marais salé, la tête remplie de souvenirs. Les grands hérons. Les cormorans. La grotte des fées…

La grotte des fées !

Je courus à nouveau.

J'aurais dû y penser avant. La grotte… William Grant s'était peut-être réfugié dans ce lieu magique en attendant que la vie l'abandonne.

Il étouffa un cri en m'apercevant.

Je devais avoir belle allure avec ma robe mouillée, couverte de sable et de petits coquillages, mes cheveux défaits, mes bras pressant encore l'écharpe contre ma poitrine. Et cette peur atroce qui me vrillait les entrailles.

Son regard était sombre et pourtant, il m'ensoleilla.

— Où est-il ? demandai-je, haletante.

Malgré le peu d'explications, il comprit.

— Mon grand-père est resté sur l'île. Tout va bien…

J'étais à la fois soulagée et totalement déconcertée. En bafouillant, je lui parlai de l'écharpe et du sinistre rendez-vous que j'avais imaginé.

Il me fit asseoir, m'enveloppa d'une épaisse couverture. Sa voix était chaude.

— Rassurez-vous ! Mon grand-père ne veut pas mourir. Il a bien trop hâte de vous rencontrer. On lui a raconté que vos yeux étaient aussi beaux que ceux de Maybel. Lavande de mer et myosotis… Il ne sera pas déçu.

Sa main caressa la mienne et je ne fis rien pour l'en empê-cher. C'était un geste d'amitié.

Qui pourtant me causa un grand émoi.

— J'adore arpenter les anses et les marais, dit-il. Hier encore, je suis venu. Mon grand-père m'a raconté les premières saisons de son amour pour Maybel. Leurs dix rendez-vous… Je sais presque tout. Comme vous, n'est-ce pas ?

J'acquiesçai. Il m'offrit un petit sourire triste qui malgré tout m'incendia le cœur, et, du bout des doigts, il essuya mes joues encore barbouillées de pluie.

— Hier, j'ai vu l'écharpe rouge accrochée à la pointe aux Épinettes, poursuivit-il. C'était la première fois... Je me suis senti attiré comme par un aimant. Pourtant, il n'y avait personne là-bas. Alors j'ai pensé à la grotte. Je l'ai trouvée vide. J'ai quand même dormi ici...

Son regard fouilla longuement le mien.

— J'attendais, dit-il. J'attendais... sans savoir qui ou quoi.

L'eau tremblait dans ses yeux.

— Maintenant je sais. C'est vous que j'attendais...

Plus tard, j'ai rencontré William Grant. La Bête. J'ai appris à aimer ce nom.

C'est lui qui avait hissé le fanion. Avec ce fol espoir que Louis viendrait. Et moi aussi. Maybel et lui avaient rêvé de notre rencontre. Louis était leur unique petit-fils. Moi, leur seule filleule. Alors ils avaient pensé que peut-être...

William Grant mourut doucement dans son sommeil cinq ans après le départ de Maybel. Cette même nuit, tu venais au monde.

Chaque jour, depuis, je remercie le ciel d'exister.

Avec Louis. Et avec toi.

Ma belle petite Albanie.

REMERCIEMENTS

J'aimerais remercier vivement :

Pierre Collin, qui m'a convaincue de visiter le parc du Bic et m'a guidée dans mes recherches ; Camil Langlois et Marlène Dionne, qui m'ont fait découvrir les secrets du parc du Bic ainsi que toute l'équipe du parc pour sa collaboration.

Maurice Thibault, qui a partagé avec moi ses souvenirs de gardien de phare, et Frédérique Langlois ses petits bonheurs des quatre saisons.

Pauline Normand des éditions Robert Laffont, qui a donné une belle première vie à cette histoire.

Mon père, Harold Demers, précieux chercheur et généreux collaborateur.

Ma famille et mes amis, qui me soutiennent depuis la première version de ce roman que j'adore.

À tous, de tout cœur : merci !

D'AUTRES TITRES DE DOMINIQUE DEMERS

Maïna, la fille du chef de la tribu des Presque Loups, amorce une longue quête, celle de son identité. Le périple de l'Amérindienne sera empreint d'émotions, de sensualité et de spiritualité. Un superbe voyage aux confins du Grand Nord, il y a 3 500 ans.

- Prix du livre M. Christie 1997 – Finaliste
- Prix Brive/Montréal 12/17 1997 – Finaliste
- Prix du Gouverneur Général 1997 – Finaliste

Dominique Demers

Marie-Tempête

Roman

QUÉBEC AMÉRIQUE

L'intensité du premier amour, l'atrocité d'un départ définitif, l'émerveillement d'une maternité pourtant bouleversante… Serait-ce trop pour la belle Marie-Lune? Chose certaine, l'adolescente devra braver les pires tempêtes de la vie pour aller jusqu'au bout d'elle-même.

Un hiver de tourmente
- **Prix du livre M. Christie 1993**

Les grands sapins ne meurent pas
- **Prix du livre M. Christie 1994**
- **Prix Imprimerie Gagné Livromanie 1993-1994**
- **Prix Ibby 1995 – Liste d'honneur**
- **Prix Québec/Wallonie-Bruxelles 1995**

Ils dansent dans la tempête
- **Prix du signet d'or 1994**

La suite du best-seller *Marie-Tempête*!

Malgré la peur de faire fausse route et de blesser ceux qu'elle aime, Marie-Lune part à la recherche de l'enfant qu'elle a donné en adoption il y a maintenant seize ans. Pour en finir avec les regrets et les non-dits, pour aller de l'avant… pour rallumer les étoiles.

Dominique Demers

le pari

roman

QUÉBEC AMÉRIQUE

Un pari qui a pour enjeu la survie d'une itinérante arrivée à l'urgence sans papiers, sans identité. Un pari qui révèlera la vie secrète de Maximilienne, une femme médecin qui ne pourra plus échapper aux fantômes de son passé.

À défaut de pouvoir aller au camp de vacances, Jacob s'invite chez son oncle, un éminent scientifique spécialiste des fées et des autres créatures peuplant le monde caché. Il sera appelé à y jouer son destin... et bien plus encore.

• Prix Québec/Wallonie-Bruxelles de la littérature 2009

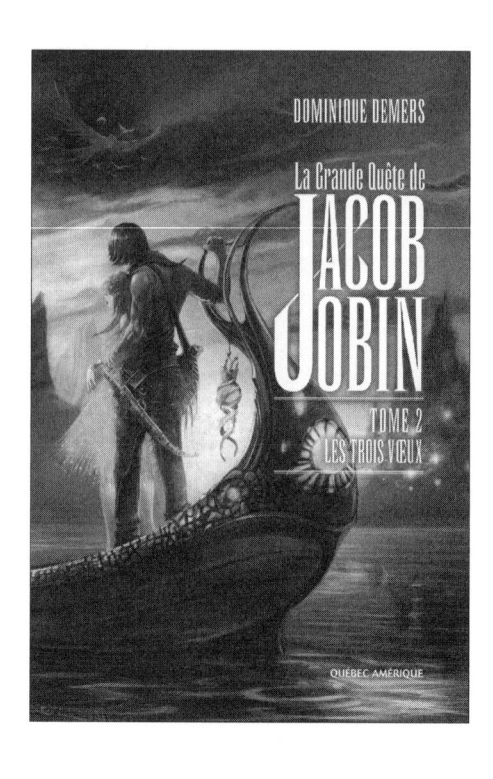

Après une première incursion mouvementée dans le royaume caché, Jacob est de retour au mystérieux manoir de son oncle. Sa mission n'est pourtant pas terminée! Il doit repartir! Mais les portes refusent dorénavant de s'ouvrir, et le temps presse pour sauver la belle Youriana et son monde merveilleux…

Alors que la volonté de Jacob de parvenir au château d'hiver de la reine des fées est plus grande que jamais, les épreuves jalonnant son chemin s'avèrent encore plus terribles que celles qu'il a déjà traversées. Saura-t-il trouver en lui les forces surhumaines qu'exige sa mission ?